W9-BBO-381

Les LOTEAU plus un

EMMA DONOGHUE

Illustrations de
CAROLINE HADILAKSONO

Texte français de
HÉLÈNE RIOUX

Éditions
SCHOLASTIC

Catalogage avant publication de Bibliothèque et Archives Canada

Donoghue, Emma, 1969-
[Lotterys plus one. Français]
Les Loteau plus un / Emma Donoghue; texte français d'Hélène Rioux.

Traduction de : The Lotterys plus one.
ISBN 978-1-4431-5582-3 (couverture souple)

I. Rioux, Hélène, 1949-, traducteur II. Titre. III. Titre: Lotterys plus one. Français

PS8557.O559L6814 2017 jC813'.54 C2016-906008-X

L'éditeur n'exerce aucun contrôle sur les sites Web de tiers et de l'auteure et ne saurait être tenu responsable de leur contenu.

Ce livre est une œuvre de fiction. Les noms, personnages, lieux et incidents mentionnés sont le fruit de l'imagination de l'auteure ou utilisés à titre fictif. Toute ressemblance avec des personnes, vivantes ou non, ou avec des entreprises, des événements ou des lieux réels est purement fortuite.

Copyright © Emma Donoghue, 2017, pour le texte anglais.
Copyright © Caroline Hadilaksono, 2017, pour les illustrations.
Copyright © Éditions Scholastic, 2017, pour le texte français.
Tous droits réservés.
Il est interdit de reproduire, d'enregistrer ou de diffuser, en tout ou en partie, le présent ouvrage par quelque procédé que ce soit, électronique, mécanique, photographique, sonore, magnétique ou autre, sans avoir obtenu au préalable l'autorisation écrite de l'éditeur. Pour toute information concernant les droits, s'adresser à Scholastic Inc., Permissions Department, 557 Broadway, New York, NY 10012, É.-U.

Édition publiée par les Éditions Scholastic, 604, rue King Ouest, Toronto (Ontario) M5V 1E1 CANADA.

5 4 3 2 1 Imprimé au Canada 139 17 18 19 20 21

Conception graphique du livre : Abby Dening et Elizabeth B. Parisi

LES LOTEAU PLUS UN EST DÉDIÉ À MA MÈRE, FRANCES PATRICIA RUTLEDGE DONOGHUE, AVEC MON AMOUR ET MA RECONNAISSANCE POUR TOUTES NOS CONVERSATIONS.

Il était une fois un homme de Delhi et un homme du Yukon. Ils tombèrent amoureux l'un de l'autre, tout comme une femme de la Jamaïque et une femme mohawk. Les deux couples devinrent les meilleurs amis du monde et eurent un bébé ensemble. Quand ils gagnèrent à la loterie, ils quittèrent leurs emplois et achetèrent une vieille maison très grande où leur famille pourrait s'épanouir et s'agrandir… encore et encore.

Les sept enfants portent des noms d'arbres et de plantes. Sumac Loteau (neuf ans) est la cinquième. Avec leurs quatre parents et leurs cinq animaux de compagnie, ils vivent parfaitement heureux à Toronto dans une maison qu'ils appellent la Cameloterie.

Mais, dans la vie, les choses changent toujours, qu'on le veuille ou non.

Les LOTEAU

Mamandine

Mamenthe

SAPINS GRATUITS

Sapin

Catalpa

Sic

CHAPITRE 1

LE GRAND-PÈRE ENDORMI

Aujourd'hui, il n'y a que huit personnes à table au petit déjeuner, et c'est bizarre. Les deux grands frères et la grande sœur de Sumac sont au camp Jagged Falls pour un séjour de camping sauvage. Mais Sumac n'est pas mécontente d'avoir plus d'espace. Même si la Cameloterie compte trente-deux pièces, vous seriez surpris de voir combien de fois les membres de la famille se retrouvent en même temps à la porte de la même salle de bains.

Sumac est dans la cuisine jaune, que les Loteau appellent « mess », parce que c'est l'endroit où mangent les militaires, et elle aligne des bleuets à la surface de son gruau. Personne ne lui a encore heurté le coude : incroyable! À la longue table, elle s'est assurée de se mettre du côté de la fenêtre, face au même mur que sa sœur Aubépine. En effet, celle-ci rebondit si fort sur son ballon d'exercice que Sumac a le mal de mer quand elle est assise en face d'elle. Trois des parents parlent de l'abondance de pastèques dans le jardin communautaire, mais Sumac n'écoute pas vraiment parce qu'elle est occupée à planifier le « moment partagé » qu'elle va passer aujourd'hui avec Papaye.

En mai, Mamenthe et Sumac ont passé une semaine dans une maison longue iroquoienne; elles en ont ensuite construit une miniature derrière le trampoline pour que les poupées de Sumac y fassent du camping. Mais cette nouvelle activité sera encore plus agréable parce que (a) elle concerne le monde étrange de la Mésopotamie pendant l'Antiquité et que (b) Papaye s'immerge vraiment dans le sujet. C'est ce qu'il a fait lors de leur meilleur moment partagé : ils ont étudié l'histoire du tissage et vu comment cela a conduit à l'invention des ordinateurs. Puis ils ont réuni une bande d'enfants et ont fabriqué une tapisserie géante célébrant les Jeux olympiques le long de la clôture du terrain de jeu.

— Quoi tu fais avec tes bleuets? demande Bruno à Sumac.

(Sa petite sœur s'appellait Bruyère, mais l'an dernier, quand elle a eu trois ans, elle a annoncé qu'elle était Bruno.)

— Un heptagone. Ça veut dire qu'il a sept côtés, répond Sumac en ajoutant une baie à la figure.

— On ne t'a pas demandé ce qu'était un heptagone, Mademoiselle Je-sais-tout, rétorque Aubépine.

À dix ans et demi, elle considère que c'est son devoir de rabattre parfois le caquet de sa sœur quand son vocabulaire est trop pédant.

— Moi, fais visage, dit Bruno.

— Avec trois yeux? s'étonne Sumac en examinant le bol de Bruno.

— Pourquoi pas trois yeux?

— Aucun problème, dit Sumac. C'est juste que ça n'est pas normal.

— Normal, banal, psalmodie Aubépine en rebondissant plus haut sur son ballon. Anormal, phénoménal.

Déterminée, Bruno enfonce un autre bleuet dans son gruau.

— Quatre yeux parce que moi quatre ans.

Les bleuets en ligne droite dessinent une bouche; Bruno ne sourit jamais à moins que ce soit une occasion spéciale.

Sumac se dit que la tête de sa petite sœur ressemble à une balle de golf blanche rosée, son cou étant le tee sur laquelle elle repose. Quand les Loteau ont encore attrapé des poux, en mai dernier, Bruno a résisté à tous les parents qui s'approchaient d'elle avec un shampooing nauséabond, jusqu'à ce que Sumac propose de lui raser les cheveux. (Sumac n'a que neuf ans, mais elle est la coiffeuse attitrée de la famille parce qu'elle est la plus précise et la moins distraite.) Désormais, Bruno veut avoir la tête rasée *tous les jours* afin de ne plus jamais se faire traiter de fille par des étrangers.

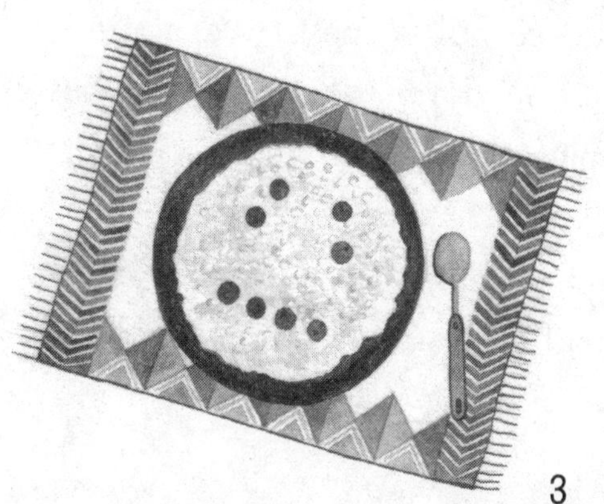

Chêne, qui se balance dans sa chaise haute, émet une sorte de gargouillis joyeux.

Aubépine sourit à son petit frère et cesse de rebondir sur son ballon le temps de mettre trois autres bleuets dans le bol de plastique fixé à sa tablette avec du ruban velcro.

Sumac lève sa cuillère pour voir si une coupe très courte lui irait bien, mais, évidemment, son reflet est à l'envers parce que la cuillère est con*cave,* comme une caverne, et courbe les rayons de lumière. Sumac la retourne pour se voir à l'endroit. Même si leurs ancêtres viennent de régions différentes de la planète, Sumac et sa sœur aînée Catalpa se ressemblent : des cheveux noirs et lisses et des yeux bruns. Mais ce sont des attraits pour Catalpa seulement, ce qui est injuste. Sumac tire la langue à son reflet et commence à manger son gruau.

Papaye entre alors en trombe dans le mess en parlant au téléphone.

— Oui, bien sûr, le prochain vol.

Il parle sûrement à un inconnu, parce qu'il a une voix étonnamment sérieuse, très adulte. D'habitude, il est le fou du roi à la Cameloterie.

Papadum attend quelques secondes, hausse ses sourcils broussailleux et demande ce qui se passe. Papadum a cinquante-neuf ans et est le doyen de la famille. Ses sourcils sont de plus en plus monstrueux, mais il affirme qu'ils s'harmonisent parfaitement avec sa barbe.

Papaye lui fait un signe de tête, sans sourire. Ça ne lui ressemble pas non plus. Il glisse le téléphone dans la poche arrière du short qu'il s'est fabriqué en coupant les jambes de son jean préféré après une expérience de chimie.

— Je dois aller voir votre grand-père, les enfants, annonce-t-il en s'asseyant entre Aubépine et Mamenthe.

Puis il sursaute comme s'il avait mal aux fesses et reprend son téléphone.

— Au ciel? demande Bruno, les yeux ronds.

— Non, là, tu parles de *mon* père, dit Mamandine.

Aubépine ricane.

Sumac lui jette un regard sombre, parce que ce n'est pas drôle que leur grand-père jamaïcain soit décédé, même s'il est mort avant la naissance de la plupart d'entre eux.

Mais Aubépine ne peut s'en empêcher : elle est née en ricanant. Mamandine ne s'en offusque pas. Elle dit toujours que ce n'est pas dans sa nature d'être calme et rationnelle, comme Spock dans *Star Trek*; c'est grâce à tout le yoga qu'elle fait.

Papaye doit parler du père de Papadum alors.

— Mais ne prendrais-tu pas le train si tu allais voir Dada Ji à Oakville? demande Sumac.

— J'aimerais bien! s'exclame Papaye.

Il met le téléphone dans la petite poche sur la manche de son tee-shirt, où il tressaute pendant que Papaye mange son petit déjeuner.

— Allons donc, dit Aubépine, il doit prendre l'avion pour Montréal où il ira voir Baba à la réserve.

— Ce n'est ni le père de Papadum ni celui de Mamenthe, dit Papaye sur un ton curieusement inexpressif. C'est le mien.

Mamenthe précise après un instant :

— Il s'agit d'Ian, à qui Papaye rend visite au Yukon de temps en temps.

Sumac passe ses dossiers mentaux en revue.

— Non, il n'y va jamais.

Les yeux fixés sur sa cuillère, Papaye essaie d'attraper un bleuet.

— Bon, tous les trente-six du mois, disons.

— Ce grand-père n'existe pas vraiment, dit Aubépine en levant les pieds et en essayant de rester en équilibre sur son ballon. C'est juste un personnage de contes qui oblige les enfants à couper du petit bois.

Sumac se dit que ça le fait ressembler davantage à un méchant sorcier qu'à un grand-père.

— Oh! Il existe vraiment, dit Papaye en léchant une goutte de sirop d'érable sur sa jointure. Mais il n'a jamais vraiment été un grand-père, c'est tout.

— Pour dire la vérité, il n'a jamais rencontré les enfants, ajoute Mamenthe.

Pour dire la vérité est une de ses expressions favorites, parce qu'elle est avocate.

Sous la table, Diamant, leur chien brun, aboie sans raison apparente. Il se languit depuis le départ de Sapin.

Chêne essaie de manger sa bavette. Sumac la retire doucement de sa bouche. Elle se dit que jusqu'à aujourd'hui, ce quatrième grand-père n'est jamais entré en activité. Il était endormi, comme un volcan.

— Comment ça se fait que tu ne vas voir ton père que tous les trente-six du mois? demande-t-elle.

— Ah! C'est loin, le Yukon, répond Mamenthe.

Mamandine lui jette un regard.

— Ne soyons pas euphémiques.

— Quoi? demande Sumac.

— Cherche le mot dans un dictionnaire, répond, comme d'habitude, Mamandine. Les deux premières lettres sont e-u.

Sumac fronce les sourcils.

— Tu n'aimes pas ton propre père? demande-t-elle à Papaye.

— Oh! Sumac, reine de la question pertinente.

Il se penche et appuie sur son nez comme sur un bouton.

— *Pertinente*, c'est comme *impertinente*, c'est-à-dire impolie? demande Aubépine.

Elle aimerait bien que ce soit le cas : pour une fois, ce ne serait pas elle qu'on critiquerait pour ses mauvaises manières.

— Je *cherche* le mot, continue-t-elle avant que Mamandine ne lui dise de le faire. Je suis en train d'ouvrir le dictionnaire…

Elle prend Mamandine par les oreilles et fait semblant de lire dans ses courtes boucles lustrées.

Mamandine éclate de rire et prend une voix métallique comme si elle était générée par un ordinateur.

— *Pertinent*, adjectif : qui a un rapport avec ce dont il est question, récite-t-elle.

— Cela veut dire que Sumac est un marteau qui frappe toujours sur la tête du clou, précise gentiment Mamenthe.

Sumac n'est pas sûre d'apprécier ça. Mais elle suppose que c'est mieux que d'être un marteau qui frappe le clou de travers et l'écrabouille.

— En tout cas, qu'est-ce qu'il a dit, mon chéri? demande Papadum à Papaye.

— C'est une infirmière qui a appelé, répond Papaye. Pour m'apprendre que papa a mis le feu à sa maison.

Les autres parents écarquillent les yeux et Aubépine pouffe de rire.

— Un petit feu, et il a réussi à l'éteindre avant l'arrivée des pompiers volontaires.

— Pauvre Ian! s'écrie Mamenthe.

— Il a des brûlures mineures, d'après ce que j'ai compris, reprend Papaye.

— Lui joue avec bougies? demande gravement Bruno.

Papaye presse son petit genou d'où pendouillent toujours des pansements.

— Mon papa ne joue pas vraiment. Quoi qu'il en soit, je dois aller à Whitehorse aujourd'hui, si je trouve un siège, puis conduire jusqu'à Faro…

— Attends, l'interrompt Sumac.

— Toi vas rapporter cadeaux? demande Bruno.

— Bien sûr, répond Papaye en frottant sa petite tête rasée.

— Mais pas des machins hippies en herbe tressée comme la dernière fois, l'avertit Aubépine.

— Je te réserve une place sur le vol 114 via Vancouver, murmure Mamenthe, qui pianote sur l'écran de son téléphone.

(Sumac remarque que ce sont presque toujours les adultes qui prétendent avoir une raison urgente de contrevenir à la règle *pas d'électronique pendant les repas.*) Avec ses jupes longues et ses cheveux grisonnants qui tombent jusque sous ses fesses, Mamenthe ressemble peut-être à une femme du dix-neuvième siècle, mais c'est quand même la plus branchée de tous les parents.

— Tu es un ange, dit Papaye en prenant la cafetière pour remplir sa tasse. Tu exauces tous mes souhaits.

— Attends, répète Sumac.

En entendant le mot « souhaits », Bruno fait semblant d'éternuer et, bien entendu, Aubépine éternue encore plus fort. Puis Opale, sur son perchoir, produit un éternuement version perroquet, et Chêne trouve ça tellement drôle qu'il recrache un bleuet presque entier sur sa tablette.

— Je pense que tu es vraiment très doué pour rire, Chênou-chou, lui dit Mamandine en levant le pouce en l'air.

À son tour, Chêne essaie de lever le sien, mais, comme il oublie de le séparer de ses autres doigts, il a l'air d'agiter son petit poing avec colère.

Mamandine essuie les mains du bébé, son visage, son double menton et son cou, ainsi que la tablette de sa chaise haute. (Elle dit que la seule chose qui lui manque de l'époque où elle travaillait encore dans un laboratoire est que personne ne se moquait de sa manie de la propreté parce qu'elle faisait partie de son travail.)

— Je peux sortir de table? demande Aubépine depuis la porte. Ardoise est dans mon tiroir à chaussettes et il s'ennuie de moi.

— Tu n'as rien mangé, *beta*, lui fait remarquer Papadum.

(C'est le surnom affectueux que les parents de Papadum lui donnaient pendant son enfance en Inde.)

Aubépine fait la moue.

— Encore une cuillerée?

— Trois.

Aubépine revient en courant et engloutit son gruau.

— Attends!

Cette fois, Sumac a presque crié.

— Et notre moment partagé, qu'est-ce qu'il devient? demande-t-elle à Papaye.

Il la regarde en clignant des yeux.

— Toi et moi, on doit étudier la Mésopotamie antique, tu te rappelles? précise Sumac.

— Désolé, chaton. On devra remettre ça à une autre semaine.

— Sumac, tu pourrais venir au marché en vélo avec moi et apprendre, disons, des notions de nutrition et de budget, propose Papadum. Et cet après-midi, nous mettrons des pêches en conserve.

Sumac fait la moue. Avec Papadum, les moments partagés finissent toujours par être des tâches culinaires ou des réparations qu'il allait faire de toute façon.

— Cet après-midi, je vais cueillir des fougères avec les petits, dit Mamandine. Tu pourrais planifier notre itinéraire, faire un tableau des photos des dix fougères les plus communes à Toronto et…

Sumac voit rouge.

— Tu as dit que toi et moi on serait des Mésopotamiens pendant toute la semaine, rappelle-t-elle à Papaye. On devait présenter un spectacle en costumes et préparer une collation antique, et maintenant tu t'en vas à l'autre bout du continent!

— Sumac, la reprend sèchement Mamandine. Ton grand-père semble avoir besoin d'une visite, et ça ne peut pas attendre.

Sumac se mord la lèvre.

— Alors, emmène-moi.

— D'accord, répond Papaye en haussant les épaules.

Les trois autres adultes le dévisagent. Il frappe dans ses mains.

— Oups, dit-il. Je veux dire, laisse-moi consulter tes coparents.

— C'est injuste que Sumac prenne l'avion pour aller au Yukon, braille Aubépine. Elle n'a que neuf ans.

— L'autre jour, Papadum a dit que j'avais un âge mental de dix-neuf ans; de plus, mon niveau de lecture est celui d'une fille de treize ans, fait valoir Sumac.

— Le grand-père n'a pas besoin que tu lui fasses la lecture, l'interrompt Aubépine d'un ton sarcastique.

— Le moment ne paraît pas très propice pour rencontrer le père de Papaye, renchérit Papadum. C'est juste après un incendie.

— Au contraire, insiste Sumac, comme ça il y aura deux personnes pour le réconforter. Je serai serviable et mature.

— Allons, dit Papaye aux autres, les voyages forment la jeunesse. Ne sommes-nous pas une famille qui aime dire pourquoi pas?

— Deux sièges, alors, dit Mamenthe en pianotant sur son téléphone.

Outrée, Aubépine pousse un cri étranglé.

— Ne me dis pas que tu veux y aller toi aussi, soupire Mamandine.

— Eh bien, non, mais je devrais recevoir quelque chose en échange. Vingt-quatre heures de *Minecraft*?

— Une heure.

— Marché conclu, s'empresse de dire Aubépine.

Et elle sort du mess avant que quelqu'un change d'idée.

Diamant recommence à aboyer.

— Ouaf! crie Chêne depuis sa chaise haute.

Il s'adresse aussi comme ça à Topaze, à Quartz, et même à Ardoise : en fait, à tout animal à quatre pattes.

Tous les membres de la famille Loteau battent des mains et se mettent à aboyer, parce que, jusqu'à présent, c'est le seul mot prononcé par Chêne. Bruno est tellement fière de le lui avoir appris.

*

Grrr. Papaye dit qu'il est trop occupé à préparer leur voyage pour aller voir l'exposition au Oh-non. Mais Sumac pourra lui enseigner tout ce qu'elle a appris sur l'ancienne Mésopotamie dans l'avion cet après-midi, il l'a promis juré.

La sortie se fait en tramway, en métro puis à pied. (Les Loteau sont bien trop écolos pour avoir une voiture qui pollue la planète.) Ils ne sont que six sur onze (Mamandine est au jardin communautaire pour remédier à une infestation d'insectes appelés thrips). N'empêche qu'ils occupent tout le trottoir. Aubépine sautille à reculons devant les autres en tripotant son jeu de ficelle. Au camp Jagged Falls, les jeunes ont tous fabriqué un jeu de ficelle avec la laine de Miley le mouton. Aubépine en est revenue complètement obsédée. C'est excellent pour occuper ses doigts, et très pratique vu qu'elle n'a plus le droit de sortir Ardoise depuis le jour du Grand drame au cinéma. (Son rat terrifie incroyablement les gens même s'il ne mesure que vingt-sept centimètres sans compter sa queue.)

Sumac marche en lisant *Comment briser le cœur d'un dragon*, parce qu'elle n'aime pas perdre son temps.

— Moi fatiguée, se lamente Bruno.

Sumac lève les yeux et suggère de jouer à Cherche et trouve.

— Je vois quelque chose de rouge... quelque chose de rayé... quelque chose de dégoûtant et tu vas marcher dessus!

Bruno pousse un cri et saute par-dessus.

— Moi encore fatiguée.

Papadum la traîne alors avec la corde invisible, ce qui se révèle toujours utile pendant quelque temps. Mais ce qui fonctionne le mieux avec Bruno, c'est quand on la laisse pousser l'énorme poussette du bébé, la chênemobile. Difficile de monter un escalier avec ça, mais très pratique pour y suspendre des sacs. Sumac se dit que pour une enfant de quatre ans, ce doit être fatigant de pousser ça. En tout cas, le travail est plus ardu pour Mamenthe qui, penchée au-dessus de Bruno, tourne et pousse tout en faisant semblant de toucher à peine le landau.

— Moi fatiguée!

— Tu veux jouer au bélier, Bruno? demande Aubépine.

— Ouiii!

Ce jeu consiste à précipiter Chêne vers des poteaux et des poubelles, et à les esquiver au dernier moment. Comme Bruno est la sœur aînée de Chêne depuis sa naissance, même avant que tous deux n'arrivent à la Cameloterie, elle se considère comme chargée de sa protection et ne le laisserait jamais percuter quoi que ce soit. Mais parfois, elle lui fait éviter un obstacle si brusquement que le haut de son corps penche de l'autre côté de la chênemobile.

Aujourd'hui, le jeu dure environ une minute et demie, jusqu'au moment où ils frappent presque une femme sur son scooter pour personnes à mobilité réduite.

— On ne joue plus, dit alors Papadum.

Quand il prend cette voix grave, inutile de discuter.

Ils sont arrivés au Oh-non, un cristal géant, tout en éclats de verre qui explosent dans la rue. Il s'agit en fait du Musée royal de l'Ontario, mais la première fois que Bruno l'a vu (à deux ans), elle s'est écriée « Oh-non! », comme si quelqu'un venait de casser un vase. Le nom est resté.

Sumac range son livre dans son sac à dos avec *Fugue au Metropolitan* (l'histoire d'enfants qui s'enfuient pour aller vivre dans un musée) et *Souris!* (une histoire de mésaventures dentaires, beaucoup plus passionnante qu'on pourrait le croire). Elle apporte toujours trois livres, au cas où elle en terminerait un et que le suivant serait complètement nul.

Il fait très sombre à l'intérieur du musée, éclairé par des projecteurs. Chêne se met à glousser, croyant que c'est un jeu.

— Imagine que nous sommes dans un désert il y a cinq mille ans, chuchote Sumac à Bruno.

— Napoléon! s'exclame la petite.

Elle a crié si fort qu'elle a fait sursauter une vieille dame qui examinait une pierre gravée. C'est le nom que Bruno donne aux gens du passé, parce que Napoléon était célèbre. Elle a l'impression qu'au départ il y avait Jésus et ses amis les hommes des cavernes, puis les Napoléon, et nous pour finir.

Aubépine continue à faire des figures avec sa ficelle tout en gambadant d'une vitrine à une autre.

— Et voilà la tour Eiffel! annonce-t-elle.

Aux yeux de Sumac, la figure que vient de faire sa sœur ressemble à une tour Eiffel piétinée par Godzilla.

Elle déchiffre une liste éclairée par un projecteur.

— Fantastique! Les Mésopotamiens ont inventé la charrue, les villes, les roues à rayons, les dés, le métier à tisser...

— Des voitures jouets! s'écrie Aubépine devant un écran tactile. Ils avaient de petites charrettes de pierre surmontées d'un genre de hérisson et un trou pour passer une corde. Les enfants pouvaient les tirer.

— *Moi* tire, s'exclame Bruno.

— C'est juste une image, dit Aubépine. Mais tu peux faire glisser ton doigt sur l'écran.

Chêne veut sortir de la poussette. Bruno s'accroupit sur le sol pour qu'il ne se sente pas seul.

Chêne ne marche pas encore comme les autres enfants de presque deux ans. Les parents disent qu'il ne faut pas s'inquiéter. Il est différent, rappelez-vous, mais il est sur la bonne voie, sa propre voie. N'empêche que Sumac s'inquiète parfois. Heureusement, Chêne, lui, ne s'inquiète jamais, parce qu'il n'a pas conscience d'être en retard. Ses jambes nues et potelées glissent maintenant sous lui comme s'il nageait sur le sol lustré. Mamenthe sort des chaussettes antidérapantes de son sac et court pour le rattraper. Les chaussettes, dont l'extrémité a été coupée, couvrent ses genoux.

— Regardez, tout le monde, la maison en feu! dit Aubépine en montrant sa ficelle qui zigzague d'avant en arrière. Voici les flammes! Les gens s'enfilent comme le quatrième grand-père.

— Ils ne s'enfilent pas, ils s'enfuient, la reprend Sumac, incapable de s'en empêcher.

— Sumac est encore en train de me corriger, grogne Aubépine.

— Essaie de voir ta sœur comme une ressource utile plutôt que comme une enquiquineuse, lui conseille Mamenthe.

La mention de cette maison en feu rappelle quelque chose à Sumac.

— Au fait, comment le père de Papaye a-t-il mis le feu à sa maison?

Mamenthe et Papadum se consultent du regard.

— C'était la friteuse, répond ce dernier. Ian a oublié les saucisses et les frites et il est allé prendre un bain.

Sumac se dit que Papaye est un peu farfelu et que c'est peut-être à cause d'un gène hérité de son père, tout comme Sic a hérité des pieds puants de Papadum.

— Les accidents arrivent, psalmodie Aubépine.

— Surtout à toi, lui fait remarquer Sumac.

Les Loteau les appellent des *aubéccidents*. Il y a deux ans, pour l'Halloween, Aubépine est tombée brusquement de sa chaise comme si elle avait été poussée par un esprit frappeur invisible. Elle s'est fracturé le pouce, mais personne ne l'a crue pendant trois jours, parce qu'Aubépine est la fille qui crie au loup et prétend toujours s'être cassé quelque chose.

— Oh! Je connais une blague sur les maisons, s'écrie Sumac. Pourquoi les maisons ne sont pas solides en Angleterre?

Elle compte jusqu'à trois avant de donner la réponse, tel qu'indiqué dans le livre.

— Parce qu'elles sont en glaise!

— Où vont les blagues quand elles meurent? maugrée Aubépine. Dans la bouche de Sumac.

Sumac lui adresse un regard furibond.

Un cliquetis se fait entendre.

— Les briques!

Et Aubépine part en courant. À toutes les expositions, elle finit toujours par trouver l'espace où l'on construit sa propre structure pour ensuite la détruire.

Sumac peut enfin examiner les vitrines en paix, une rangée à la fois, et lire chacune des légendes de façon à ne rien rater. À l'intérieur, il y a surtout des sceaux, pas des seaux à glace ou à plancher, mais de petites images en argile servant à sceller les enveloppes et les colis : comme ça, on sait si quelqu'un les a ouverts.

— Avaient des chiens, les Napoléon? demande Bruno à côté d'elle.

— Bien sûr, répond Sumac, mais celui-ci est un renard, et les autres en dessous sont des moutons.

— Avaient des pieds, les Napoléon?

Bruno examine ses propres orteils boueux au bout de ses sandales.

— Tout le monde a toujours eu des pieds.

— Non, pas poissons.

— Bonne remarque.

Il y a un genre de théière qui servait pour la bière mésopotamienne; il fallait boire le liquide à partir du haut à l'aide d'une paille à cause du dépôt très poisseux au fond du récipient.

— C'était peut-être sans alcool, lit Papadum, l'air déçu.

— Ils mangeaient *des criquets grillés sucrés avec des dattes!* s'exclame Sumac en reculant. Beurk!

— Tu n'as pas essayé les grillons rôtis au Cambodge? demande Papadum à Mamenthe.

Elle fait signe que oui.

— Ce n'était pas très différent des crevettes, et ce serait mieux pour la planète si nous mangions tous des insectes…

— Double beurk, dit Aubépine.

Il y a aussi la statue d'un roi appelé Assurnasirpal II qui n'est pas plus grand que Sumac : il a l'air féroce avec sa barbe en forme de livre et sa faucille pour combattre les démons. Puis il y a le modèle d'une chose appelée la Grande fosse de la mort où soixante-huit jeunes filles furent sacrifiées en l'honneur de quelque mort royal. Ce que Sumac trouve encore plus dégoûtant que manger des grillons.

— Il paraît que les archéologues ne sont pas d'accord : selon certains, les jeunes filles acceptaient de mourir, et d'autres pensent le contraire, murmure-t-elle à Papadum.

— Regarde les six gardes à la porte, dit-il en tapotant le diagramme. Je parie que les jeunes filles se portaient *volontaires* avec un couteau sur la gorge.

« Volontaire » serait donc un autre *euphémisme*. (Sumac a cherché le mot après le petit déjeuner : c'est une façon polie, atténuée de dire quelque chose.) Un autre mot commence par « eu » au panneau suivant. Elle le lit à voix haute.

— C'est quoi, un e-u-n-u-q-u-e?

— Mamenthe? appelle Papadum. Tu peux répondre à celle-ci?

Ce doit donc être une question embarrassante.

Mais Mamenthe se précipite pour éloigner Chêne d'une fresque représentant des gens qui se baignent.

— Sumac!

Cette fois, c'est Aubépine qui hurle quelque part en avant.

— Que quelqu'un aille lui dire de se taire, exige Mamenthe, qui tient Chêne la tête en bas, sa position préférée.

— Sumac! crie de nouveau Aubépine. Tu vas adorer ça!

Un groupe qui suit un guide portant un minuscule drapeau japonais écarquille les yeux.

Sumac traverse les salles au pas de course jusqu'à ce qu'elle retrouve Aubépine.

— Chut! dit-elle

Sa sœur lui fait parfois penser à un chiot qui n'a pas encore été dressé.

Mais Sumac sourit en lisant le panneau : *Les comptables ont inventé l'écriture.*

— N'oublie pas d'en parler à Nenita et à Jensen la prochaine fois que tu les verras, lui dit Aubépine.

Une illustration montre comment les Mésopotamiens écrivaient : de petites traces comme laissées par des pattes d'oiseaux sur l'argile. Jensen et Nenita sont des comptables et, biologiquement parlant, ce sont les parents de Sumac. Ils l'avaient conçue par erreur, et ils pensaient qu'ils seraient terribles comme parents. Comme Nenita était une vieille amie de Mamandine, elle et Jensen ont donné Sumac aux Loteau quand elle est née.

— Qu'est-ce que tu volerais? lui demande Aubépine à l'oreille, beaucoup trop fort. Moi, je prendrais bien le lion qui agonise avec toutes ces flèches dans le corps.

— D'accord, répond Sumac en frémissant, mais tu devrais le mettre dans ta propre chambre. Moi, j'aimerais le doigt géant sur lequel sont écrites leurs trois cent quatre-vingt-deux lois. Pour la première fois, on a écrit qu'une personne devait être présumée innocente jusqu'à ce qu'on prouve sa culpabilité!

Aubépine lève les yeux au plafond.

— *Sumac Loteau, tu es une intello finie!* Moi, je retourne jouer avec le petit homme.

Assise sur le sol, Bruno montre à Chêne la gravure d'une personne tenant un lionceau sur sa hanche.

— Imagique qu'on a bébé lion, lui dit-elle.

(Les autres membres de la famille ont juré de ne jamais dire à Bruno que c'est *imagine*, parce que le mot *imagique* est beaucoup plus joli.) Bruno est convaincue que, quand ils seront grands, Chêne et elle auront des bébés ensemble. Elle prend maintenant des photos avec la tablette : surtout des statues de vieillards avec des bandeaux dans les cheveux, des chignons et des barbes tressées. Sumac se demande si le père de Papaye a une barbe blanche soyeuse comme en ont les grands-pères dans les films.

Papadum revient en courant, Chêne pressé contre sa hanche comme un avion.

— Quelqu'un a vu Aubépine?

— Elle était ici il y a une minute, répond Sumac.

Puis, elle se rappelle.

— Elle a dit quelque chose à propos de jouer avec un petit homme.

— Le gardien du musée? demande Papadum, médusé.

— Le trouvais-tu vraiment petit? demande Mamenthe en fronçant les sourcils.

Terrifiée, Sumac a soudain l'estomac noué. Elle pense au *roi Assurnaquelquechose*.

Elle retourne sur ses pas en se faufilant entre les touristes. Elle trouve Aubépine, toute seule, (ouf!)

dans la salle avec la statue de trois mille ans qu'elle essaie d'attraper au lasso avec la ficelle de son jeu.

— Arrête tout de suite!

Aubépine se contente de ricaner.

— Tu veux qu'on soit bannis à vie du Oh-non?

— Peux pas m'en empêcher parce j'ai ce machin, comment ça s'appelle? Un faible contrôle de mes pulsions. Alors, na!

Elle attrape son propre pied et le lève par-dessus sa tête.

— Je l'ai trouvée, dit Sumac aux parents en entraînant Aubépine vers la sortie.

Inutile de provoquer des infarctus quand tout est réglé.

— C'est tout ce que tu emportes? demande Isabella.

Affalée sur le pouf poire dans la chambre de Sumac, Isabella, sa meilleure amie depuis leur tendre enfance, agite dans les airs ses pieds chaussés de sandales argentées. Isabella a toujours l'air prête à aller à une fête, peut-être parce qu'elle est enfant unique; sa mère ne la laisse jamais sortir de la maison en short, peu importe la chaleur qu'il fait dehors. Elle n'aurait pas survécu au camp Jagged Falls où Sumac et Seren Johnson, sa cousine anglaise qu'elle n'avait jamais rencontrée, couraient partout couvertes de boue et adoraient ça.

— Nous ne passerons que deux nuits au Yukon, répond Sumac.

— Mais tu vas geler, non?

— C'est juillet là-bas aussi, tête de linotte, explique Sumac en éclatant de rire.

Elle roule étroitement un legging.

— J'imagine que nous verrons des orignaux, des ours et des wapitis, continue-t-elle. Et ces drôles de moutons avec des cornes enroulées.

— Et que vas-tu faire si Papaye t'amène dans un endroit très chic?

Papaye est le parent Loteau préféré d'Isabella depuis qu'il lui a organisé un thé *Mademoiselle Nancy* pour son troisième anniversaire.

— C'est une mission de sauvetage, lui rappelle Sumac. Nous n'avons qu'une journée pour réconforter son père brûlé et lui trouver un lieu où il pourra habiter. Je serai la première de ses petits-enfants à faire sa connaissance.

Elle réalise soudain que cela signifie qu'elle sera probablement toujours sa favorite.

— Tu es tellement ordonnée, soupire Isabella en secouant la tête au-dessus du tiroir à chaussettes. Puis-je m'installer ici et être toi pendant ton absence?

Sumac adore sa chambre; le baldaquin transparent au-dessus de son lit qui lui donne l'impression d'être une reine, la haute étagère pour toutes les poupées qu'elle collectionne depuis que Baba, le père de Mamenthe, lui

PAPILLONS
LA TERRE
SIECLE

en a fabriqué une miniature dans un canot d'écorce, la couette aux couleurs de l'arc-en-ciel, la bibliothèque où ses livres sont rangés dans l'ordre alphabétique et où, chaque semaine, elle place l'une de ses couvertures de livres préférés devant. (En ce moment, c'est *Wonder.*) Elle regarde le ciel peint qui traverse les murs et le plafond, avec les nuages floconneux que Papaye a mis des semaines à dessiner, et le soleil qui se lève sur la porte. Il n'y a qu'une fenêtre, mais elle donne sur le catalpa qui presse ses grosses feuilles en forme de cœur contre la vitre.

— Hé, Topaze! appelle Isabella.

La chatte entre par la porte entrouverte et saute sur ses genoux. Elle ronronne si fort qu'elle vibre. Elle est de la même couleur orangée que la bague topaze rosée que Papaye a trouvée dans le drain d'une baignoire en Argentine.

— Où est ta sœur?

— Quartz n'est sûrement pas très loin, répond Sumac.

— Allez, avoue, Quartz est ta sœur imaginaire? demande Isabelle à la chatte.

— Quartz est timide, c'est tout.

Sumac se dit que c'est peut-être à cause de la pierre dont ils lui ont donné le nom : le quartz est parfois si limpide, si incolore qu'il est presque invisible.

La cloche résonne dans l'escalier. Isabella bondit comme si elle avait été électrocutée et la chatte saute sur le plancher.

— Tu ne manges pas avec nous? demande Sumac, pince-sans-rire. Je pensais que tu voulais être moi pendant deux jours.

— Ouais, mais si Papadum fait sa salade de chou frisé?

— Tu n'es pas morte la dernière fois.

— Presque, répond Isabella qui détale dans la galerie des miroirs tout en admirant sa tresse française dans un magnifique miroir doré. Le chou frisé, c'est une plante, pas un aliment.

Sumac se dit que ça dépend à quoi on est habitué. Par exemple, comme Isabella est colombienne, elle aime ce gâteau dégoûtant imbibé de lait évaporé, de lait concentré et de crème.

— Viens passer la fin de semaine, dit-elle à son amie, et je te promets qu'on aura des hot-dogs.

— Hé, une nouvelle citation! s'écrie Isabella en pointant le doigt vers les lettres tarabiscotées de Papaye écrites au marqueur effaçable dans un grand miroir. Parfois, tu es le pigeon, parfois tu es la statue. Qu'est-ce que ça veut dire?

Puis, en voyant le sourire de Sumac :

— Ça va, ça va, ça va, j'ai compris.

CHAPITRE 2

LE VOYAGE

Dans l'avion, Sumac dit à Papaye :

— Ils avaient des tapis de pierre qui ne s'usaient jamais.

— Pas très confortable, mais pratique.

Il a déjà incliné son siège même si c'est l'heure du repas et que l'avion n'a pas encore décollé.

— L'ancienne Mésopotamie, c'est l'Iraq maintenant, non?

— Une partie de l'Iraq, le corrige-t-elle, et une partie de l'Iran et du Koweït aussi. Ils parlaient le sumérien parce que la moitié méridionale s'appelait pays de Sumer.

— Ça pourrait être ton pays d'origine.

Sumac hoche la tête et sourit.

— Surtout qu'ils se nommaient eux-mêmes *sag̃giga*, les gens à tête noire, reprend-elle en montrant ses cheveux. Oh! Une chose que j'aime : les Mésopotamiens comptaient par soixantaines et non par dizaines. Regarde.

Elle soulève la main de Papaye.

— Utilise ton pouce pour compter les… il y a un mot pour les sections des doigts…

— Les phalanges.

Ce mot ressemble au mot *falafel*.

— Les *phalanges* de cette main, reprend-elle en butant sur le mot. Allez, compte-les.

— Douze, dit-il, fier de lui parce qu'il est nul en maths.

— Puis, sur ton autre main avec le pouce rabattu, tu plies un doigt pour chaque douzaine, ce qui te donne soixante, explique Sumac, et c'est pourquoi nous comptons les secondes et les minutes par soixantaines. Nous copions les Mésopotamiens.

— Trop compliqué, marmonne Papaye.

Il met son masque sur ses yeux et s'installe confortablement comme une vedette de cinéma.

L'avion est rempli d'adultes qui voyagent seuls et de petites familles normales. Si tous les Loteau étaient présents, ils occuperaient une rangée et demie, évalue Sumac.

— C'est quoi le problème avec ton père?

— À part les brûlures et peut-être l'inhalation de fumée, je ne le sais pas encore vraiment.

— Non, je veux dire, pourquoi tu l'aimes si peu que tu ne vas le voir que les trente-six du mois?

— C'est plutôt le contraire, chaton.

Le père n'aime pas son propre fils? Mais tout le monde aime Papaye, même leur facteur ronchon.

— Parfois, les gens peuvent être apparentés sans vraiment... correspondre, murmure-t-il. Papa est plutôt conservateur.

— Tu veux dire qu'il vote pour le parti conservateur? demande Sumac, perplexe.

— Il est intransigeant. Il préfère que les choses restent comme avant, du moins telles qu'elles semblaient l'être quand il avait huit ans plutôt que quatre-vingt-deux.

Sumac soustrait soixante-quatorze pour savoir en quelle année son grand-père avait huit ans. La Seconde Guerre mondiale et pas d'Internet. Qui pourrait préférer ça?

— Allô ma chouette, dit une agente de bord trop maquillée. Où est ta maman aujourd'hui?

— J'en ai deux, répond Sumac. L'une pratique l'aïkido et l'autre dirige une clinique juridique gratuite. Mon autre père motive mes frères et sœurs et il fait une soupe appelée mulligatawny.

— Tu as de la chance, dit la femme d'un ton un peu nerveux. Aimerais-tu avoir la trousse d'activités pour les enfants?

Sumac jette un regard au paquet carré emballé dans un sachet de plastique et contenant les cinq crayons de couleur grinçants habituels.

— Non, merci. Nous préférons étudier le sumérien, c'est la plus ancienne langue écrite du monde.

— Charmant, dit l'agente de bord en s'éloignant rapidement dans l'allée.

Sumac se demande si elle a semblé un peu prétentieuse. Elle ne voulait pas faire d'esbroufe, juste répondre à une question. En réalité, elle n'a pas encore de quoi se vanter parce que, jusqu'ici, elle n'a appris que deux ou trois mots en sumérien.

Le défi qu'elle doit relever cet après-midi avec Papaye consiste à apprendre dix expressions du livret qu'elle a acheté au musée avec son argent de poche, mais il continue de penser que *ses* veut dire « sœur » alors que c'est « frère ». La seule expression qu'il parvient à mémoriser est un proverbe : *Nuzu egalla bacar*, parce qu'il signifie *Les ignorants sont nombreux au palais*, et ça l'enchante.

— Moins de petites cellules grises, dit-il en se tapotant la tête, alors j'ai besoin de rire pour que l'information adhère à mon cerveau.

Mais Sumac a remarqué qu'aujourd'hui, Papaye rit beaucoup moins que d'habitude. Même quand il met les écouteurs sur ses oreilles et regarde une comédie avec beaucoup de collisions et de chutes.

C'est excitant d'être la seule enfant qui accompagne Papaye à son retour aux sources… mais jusqu'à présent, le voyage est plutôt morne. Neuf heures dans les airs, cinq dans la voiture de location et pendant tout ce temps le ciel du Yukon reste blanc parce qu'ils sont si loin au nord. N'ayant rien vu d'intéressant, Sumac s'endort sur la banquette arrière et se réveille à peine quand Papaye la porte dans le gîte touristique.

Au matin, le soleil est déjà haut dans le ciel, et Papaye marche de long en large tout en parlant au téléphone à une personne nommée Mélissa.

— En fait, Mélissa, je retourne à Toronto demain et mon père doit voir le médecin de toute urgence. Que proposez-vous pour résoudre ce problème?

Sumac cesse d'écouter et sort *Presque populaires, tome 7* de son sac à dos.

Au petit déjeuner, Papaye et elle constatent qu'ils sont les seules personnes au gîte touristique. Les chiffres de l'horloge murale sont à l'envers et les aiguilles ne bougent pas. On peut y lire : *Détendez-vous, vous êtes à l'heure du Yukon*. C'est amusant de pouvoir choisir une petite boîte de céréales parmi toute la variété offerte; Sumac mélange les rondelles colorées avec les céréales chocolatées en forme de petites fusées, mais le goût est plutôt écœurant. Papaye ne mange rien. Par contre, il boit tellement de café que ses mains tremblent.

La vue par la fenêtre évoque un tableau : des montagnes et de l'herbe, pas âme qui vive.

— Où est Faro?

— Nous y sommes, répond Papaye avec un drôle de sourire. Quatre cents habitants les jours occupés. Quand j'avais ton âge, on y trouvait une mine de plomb et de zinc, la plus importante mine à ciel ouvert du monde, puis elle a fermé.

— Oh! Mais quatre cents, c'est pour ainsi dire… personne.

En route vers la maison du grand-père, Sumac cherche à voir des animaux sauvages, mais elle n'aperçoit qu'un corbeau.

— Il y a plus d'orignaux que d'humains aux alentours. J'en ai aperçu deux hier soir au bord de l'autoroute, dit Papaye.

— Tu aurais dû me réveiller!

Il secoue la tête.

— Comme tu l'apprendras un jour si tu as des enfants, mon amour, la règle numéro un des parents c'est de *ne jamais réveiller un enfant qui dort*.

Sur un perron, un vieil homme semble être en train de fabriquer une chaise avec des branches squelettiques. Sumac n'a pas encore vu d'enfants à Faro. Papaye traverse une rivière que descendent des canoéistes.

— Hé! On a vu une murale où des Mésopotamiens fuyaient, se rappelle Sumac. Ils traversaient une rivière en tenant des peaux d'animaux gonflées, semblables à des gilets de sauvetage.

— Astucieux, murmure Papaye, l'air distrait.

Il s'engage brusquement dans un chemin et coupe le moteur.

— *Ché té souhaité la bienvenoue dans l'humblé maison dé mon enfance*, dit-il avec son meilleur accent transylvanien.

Sumac croyait que ce serait peut-être une cabane en rondins, du moins quelque chose de pittoresque. Mais ce n'est qu'une maison ordinaire, plutôt laide.

Papaye lui presse le bout du nez.

— Bip!

— Pourquoi fais-tu ça? se rebiffe Sumac en repoussant sa main.

— Parce qu'il est mignon comme un bouton.

Il recommence sans lui laisser le temps de s'esquiver. Puis il donne une claque sur son short et crie, comme dans un jeu de cache-cache :

— Prêts pas prêts, on y va...

La porte n'est pas fermée à clé.

Lorsqu'ils entrent dans le vestibule, l'odeur de fumée prend Sumac à la gorge.

— Papa! appelle Papaye.

Personne ne répond.

— Va attendre dehors pour ne pas respirer les toxines, dit-il à Sumac.

Elle est contente d'aller lire au soleil dans le parterre.

Une dizaine de minutes plus tard, Papaye sort de la maison. Il discute de placoplâtre avec un monstre qui ressemble à Frankenstein. Bon, un vieil homme grand et osseux en bottes de travail à embout d'acier, en jean et en chemise de flanelle qui semble incroyablement chaude. Il

a des cheveux gris avec le front dégarni, pratiquement pas de sourcils (juste des petits poils hérissés) et une barbe grise en broussaille. Son nez est enflé, strié de lignes rouges et violettes, et ses mains sont recouvertes de pansements.

On ne doit pas se fier aux apparences, se rappelle Sumac.

Le grand-père la regarde fixement.

— Je te présente Sumac, papa, annonce Papaye d'un ton bizarrement sérieux.

— Smac?

— S*u*mac, corrige-t-il en appuyant sur la première syllabe. Comme l'arbre. C'est la quatrième de nos sept enfants.

— Cinquième, le reprend Sumac.

Mais le mot sort difficilement tellement elle se sent soudain nerveuse.

— Bonjour, ajoute-t-elle.

Les yeux du vieil homme vont de l'un à l'autre et Sumac peut lire dans ses pensées : elle et Papaye n'ont pas vraiment un air de famille, parce que ses ancêtres sont philippins et allemands, et ceux de Papaye sont cent pour cent écossais.

— Bon. On t'attend, on *nous* attend, au centre de santé, papa. Nous ferions mieux d'y aller maintenant.

— J'y suis allé avant-hier soir.

Le grand-père lève sa main bandée évoquant une momie égyptienne. Sa voix est rauque et il parle avec un accent aussi prononcé que s'il n'avait jamais quitté Glasgow.

— Il faut probablement changer le pansement et j'ai réussi à t'obtenir un rendez-vous avec le médecin.

— Je vais bien.

Il consulte sa montre, mais le pansement l'empêche de voir l'heure.

— Le matin, je joue au golf.

— Pas ce matin, murmure Papaye en lui ouvrant la porte du côté passager.

— Je vais prendrrre ma propre voiturrre, merrrci.

— Allons, papa, pourquoi gaspiller de l'essence?

Le volcan grondeur n'a pas encore adressé la parole à Sumac. A-t-il déjà décidé de ne pas l'aimer parce qu'il n'aime pas Papaye et qu'elle est sa fille? Ou peut-être, pense-t-elle soudain, parce qu'elle a été adoptée et qu'elle n'a donc aucun de ses gènes? Détester à l'avance, c'est avoir des préjugés. Elle s'installe sur la banquette arrière.

Au centre de santé, ils poireautent tous les trois dans la salle d'attente où les livres sont ridiculement enfantins et où l'album à colorier *Créatures du Yukon* est déjà tout barbouillé.

Le grand-père regarde dans le vide et tripote son paquet de cigarettes alors que l'infirmière lui a rappelé à deux reprises qu'il n'a pas le droit de fumer ici. Il a une horrible toux grasse; Sumac se demande si c'est à cause du tabac ou si c'est parce qu'il a inhalé de la fumée toxique pendant l'incendie.

Papaye achète du chocolat dans une machine distributrice; le goût est affreux, comme s'il n'avait cessé de fondre et de durcir depuis l'époque mésopotamienne.

— Complètement rrridicule! explose le grand-père.

— Le médecin ne vient que deux fois par mois, réexplique Papaye. J'imagine qu'il doit commencer par les cas les plus urgents.

— Le matin, je joue au golf.

Sumac épelle silencieusement le nom des animaux de l'album à colorier : cougar, bœuf musqué, souris sylvestre à pattes blanches, martre des pins, lagopède. Elle joue avec l'orthographe de son propre nom. Pourquoi ne pas l'écrire avec un *p* muet à partir de maintenant? *Psumac, reine de l'Ancien Pays de Psumer.* C'est presque aussi joli que Seren, un nom qui signifie *étoile* en gallois. Sa cousine, Seren Johnson, a un rire tonitruant et adore chanter et faire du théâtre. Sumac espère qu'elle n'oubliera pas de lui envoyer des messages d'Angleterre comme elle l'a promis.

Au fond de la boîte, elle trouve une brochure chiffonnée intitulée *Du plaisir pour tous à Faro.*

— Il y a un arboretum où on peut voir les *merveilles de la flore et de la faune indigènes.*

— Nous verrons s'il nous reste du temps à la fin de la journée, répond Papaye sans quitter des yeux l'écran de son téléphone.

— On pourrait aller à ce centre voir les drôles de moutons avec des cornes recourbées…

— Cesse de me harceler, Sumac.

Elle ne le harcelait pas! Elle mentionnait juste des activités à faire quand ils en auraient fini avec ces trucs ennuyeux.

— Ils sont au sommet de la montagne à cette époque de l'année.

Sumac se tourne vers le grand-père.

— Qui ça?

— Les moutons.

Sumac tente de poursuivre la conversation.

— J'aimerais tellement voir des aurores boréales. Une fois, j'ai vu une émission à ce sujet, comment les ions d'oxygène produisent le vert et les ions d'azote, l'orangé. Saviez-vous que les Inuits pensaient que les aurores boréales pouvaient kidnapper les enfants?

— Pas en été.

Sumac le regarde en clignant des yeux.

— Tu ne verras pas d'aurrrorrre. Le ciel est trrrop clair.

Oh! Alors tant pis.

Papaye continue de balayer son écran et de mordiller la peau autour de l'ongle de son pouce.

Jusqu'à présent, le grand-père n'a mentionné à Sumac que deux choses qu'elle ne peut pas faire. Sans doute pour qu'elle ne soit pas déçue de ne pas voir les drôles de moutons et les aurores boréales. N'empêche qu'il n'a pas une conversation éblouissante. Papaye a peut-être hérité de ce talent de sa mère, morte il y a des années. Ou peut-être qu'il l'a développé tout seul.

Voulant rester en contact, elle prend la tablette dans son sac à dos.

— Vous aimeriez voir les photos de vos autres petits-enfants?

Au moins, le vieil homme ne dit pas non.

Celles qui ont été prises au musée hier sont toutes floues, évidemment; c'est ce qui arrive quand on laisse les enfants de quatre ans les prendre. (Sumac est, entre autres, chargée de traiter et de classer les photos de famille.) Elle clique sur *Effacer toutes celles prises à cette date*, puis retourne à juillet et juin à la recherche de photos réussies.

— C'est Sic, mon frère aîné, il a seize ans, dit-elle avec une pointe de nostalgie.

Le grand-père plisse les yeux vers l'écran.

— Celui avec les cheveux de clown?

— On appelle ça un afro.

Quoique, quand on connaît Sic, il aimerait probablement « cheveux de clown ».

— Pourquoi quelqu'un veut-il se faire appeler comme ça?

— Sic? Oh! pas *sick*, comme malade en anglais. S-I-C, épelle Sumac. C'est un mot spécial qu'on met entre parenthèses quand quelque chose a l'air idiot, pour dire aux lecteurs qu'on voulait vraiment l'écrire comme ça. Ça fait aussi penser au figuier « sycomore ».

Les yeux larmoyants du vieil homme clignent une fois, deux fois.

Sumac trouve une photo de groupe prise dans la brousse derrière la Cameloterie.

— Voici Catalpa, la cadette.

En noir, avec un sac à fermeture éclair en forme de cercueil sur l'épaule, les yeux levés au ciel; on dirait qu'en se réveillant le jour de son quatorzième anniversaire, Catalpa a décidé que tout était épuisant. (Alors que neuf ans, l'âge de Sumac, est parfait, parce qu'on n'est pas dérouté par tout comme l'est Bruno, mais que notre cerveau n'a pas encore été contaminé par les hormones.)

— Celui qui pousse Catalpa avec une branche s'appelle Sapin, les parents voulaient l'appeler Sapin rouge parce qu'à sa naissance ils pensaient qu'il aurait les cheveux roux, mais finalement ils sont bruns. Et voici Aubépine avec Bruno. Avant, c'était Bruyère. Et celui-là, c'est Chêne, notre bébé.

Chêne est tellement adorable. Il joue à l'attaque d'alligator, avec son pied dans la bouche de Sapin.

— Trrrès farrrfelu, dit le vieil homme en reniflant.

— Pardon?

— Des arrrbrrres.

— Les noms doivent bien venir de quelque part, j'imagine. Et le vôtre, votre prénom, je veux dire, d'où vient-il?

— C'est celui d'un saint, n'est-ce pas, papa? dit Papaye.

Son père fronce les sourcils.

— Saint Ian? Ou bien, attends, tu n'avais pas un oncle Ian?

Le vieil homme reste muet.

Désespérant de trouver un sujet de conversation, Sumac fait défiler les photos jusqu'à ce qu'elle trouve un gros plan de la Cameloterie.

— Et voici notre maison. Elle a été construite à l'époque de la reine Victoria, mais à cause de la brique rouge et des fioritures, on dit qu'elle est de style reine Anne.

Elle a toujours trouvé ça amusant, mais pas le grand-père, apparemment.

— Quand j'étais petite, Sapin m'a menti : il m'a dit qu'on l'appelait la Cameloterie parce qu'avant on y vendait de la camelote. En fait, c'est Cameloterie à cause de Camelot. Le château du roi Arthur.

Le long visage du grand-père reste sans expression. A-t-il déjà entendu parler du roi Arthur?

Sumac fait un zoom sur sa gargouille préférée, celle qui tire la langue.

— Vous avez vu les tourelles et les gargouilles? Et aussi, bien sûr, Cameloterie parce que nous avons gagné à la loterie.

Le grand-père réagit enfin.

— Tu es un Miller, comme moi, dit-il en se tournant vers Papaye.

— J'ai changé de nom, tu te rappelles, papa?

Le vieil homme sort de nouveau ses cigarettes, mais la réceptionniste lui montre l'écriteau sur le mur. Il s'abstient.

— Il entend mal, chuchote Sumac à l'oreille de Papaye pour ne pas blesser le grand-père.

Sans répondre, Papaye lui montre un site Web sur son téléphone. *Symptômes résultant de l'inhalation de fumée.* Elle suit son doigt. *Toux, souffle court, enrouement, migraine, confusion.* Il tapote le dernier mot.

Ah! c'est donc ça : le grand-père est confus à cause de la fumée dans sa tête.

Sumac se retourne vers le vieil homme. Son visage arbore l'expression la plus serviable possible.

— Nos quatre parents ont changé de nom quand nous avons gagné à la loterie, vous voyez?

Cette fois, il renifle avec mépris.

— Ils voulaient fairrre connaîtrrre leurrrs affairrres au monde entier!

Sumac est déconcertée, parce que ce n'étaient pas des « affaires ».

— Non, ils voulaient juste un nouveau nom à partager avec Sic. Mamandine arpentait le couloir de l'hôpital pendant que Mamenthe, Papaye et Papadum lui massaient le dos. Elle avait mal parce que Sic tardait à sortir de son ventre. Il prenait son temps.

Elle a toujours aimé l'expression *prendre son temps* : elle imagine son grand frère en format miniature, se prélassant autour du placenta.

— Et comme Mamenthe avait besoin d'un signet, elle a ramassé un billet de loto sur le plancher. Elle lisait un livre intitulé *Un truc soi-disant super auquel on ne me reprendra pas*, précise Sumac qui n'a jamais oublié le titre. En tout cas, le billet avait le numéro gagnant et, trois mois plus tard, comme la compagnie n'avait toujours pas trouvé le vrai gagnant, elle nous a donné l'argent. Les parents ont donc décidé qu'on s'appellerait Loteau, parce qu'ils étaient si heureux d'avoir Sic. Surtout parce qu'avec cet argent ils pourraient acheter une grande maison qu'ils rempliraient d'enfants et qu'ils feraient un tas de choses intéressantes avec nous tous les jours au lieu d'aller travailler.

Papaye lui sourit par-dessus l'épaule de son père.

— Sumac est l'archiviste des histoires familiales, dit-il. Même de celles qui sont arrivées avant sa naissance.

Le vieil homme se décide à parler.

— Notrrre ancêtrrre devait avoirrr un moulin.

L'espace d'une seconde, Sumac reste muette. Oh! bien sûr : Miller. Ça veut dire meunier en anglais.

— Sinon, c'est qu'il vivait près d'un moulin, suggère Papaye.

— Non, coupe son père. Il en possédait un.

Ils restent silencieux jusqu'à ce que l'infirmière appelle enfin son nom. « Ian Miller ».

Leur premier jour au Yukon est un désastre total. Jusqu'à présent, Sumac et Papaye n'ont pas réussi à réconforter le grand-père et ne lui ont pas trouvé un nouvel endroit où habiter. Ils n'ont fait que voir le médecin et aller à la pharmacie.

Le grand-père refuse d'aller manger une glace avec eux. Il dit non merci, il a des choses à faire.

C'est vanille ou chocolat, aucune des saveurs préférées de Sumac comme orange sanguine, noix de pin rôties ou épices chai. Papaye mange à peine la moitié de la sienne sous prétexte que le décalage horaire lui barbouille l'estomac.

— Alors, comment ont-ils retiré la fumée de ton père? demande Sumac.

Il secoue la tête.

— Finalement, il n'avait pas inhalé de fumée. Ce n'est que la toux normale d'un vieux fumeur.

— Oh! Tu veux que je te raconte d'autres choses sur les Mésopotamiens?

— Plus tard, ma chouette, répond-il en jetant le reste de son cornet à la poubelle. Pour l'instant, je dois téléphoner à quelqu'un qui s'appelle le superviseur régional des programmes de santé.

Sumac croise les bras.

En conduisant vers le gîte touristique, Papaye dit :

— Désolé, la crème glacée n'était pas très bonne.

— Je me fiche de la crème glacée!

Son père la prend-il pour un bébé?

— Très bien, chaton.

— Et pour ce qui est de notre moment partagé, c'est finalement un moment raté, lui reproche-t-elle d'une voix chevrotante.

Papaye freine si brusquement que les pneus grincent. Sumac se prépare à encaisser le choc d'une collision. Il se gare au bord du fossé.

— Regarde, une batée!

— Quoi? Où?

C'est un disque volant brisé en plastique bleu.

— Sers-toi de ton imagination, dit Papaye. Je vais te montrer comment on cherchait de l'or au siècle dernier.

Ça consiste à rester debout dans un ruisseau glacé à ramasser beaucoup de sable noir sans l'ombre d'une pépite d'or.

Au bout d'un quart d'heure, Sumac a les pieds gelés.

— Je m'excuse, mais je n'aime pas du tout ça.

— Moi non plus, admet Papaye. Et maintenant que j'y pense, l'eau doit être contaminée par la mine. Désolé que notre journée *tombe à l'eau!*

Sumac grogne : les calembours de Papaye sont complètement nuls.

Il sort de l'eau et s'essuie les pieds dans l'herbe.

— À Faro, j'ai l'impression d'avoir de nouveau quatorze ans.

Sumac croyait que les adultes voulaient toujours retrouver leur jeunesse, mais Papaye l'a dit sur un ton plutôt amer.

Une fois au gîte, Papaye laisse un message (à quelqu'un qui s'appelle directeur du service de gériatrie) et compose un autre numéro.

— Pourquoi le fait d'être conservateur signifie que ton père ne nous aime pas? demande rapidement Sumac.

Il appuie sur le bouton rouge pour annuler l'appel.

— Ce n'est pas qu'il ne vous aime pas, cocotte. Il ne vous connaît pas encore.

Sumac se mordille la lèvre comme si c'était de la réglisse.

— Au fond, le vieux grincheux m'en veut d'avoir épousé un homme plutôt qu'une femme.

— Mais ça s'est passé il y a vingt ans! s'écrie-t-elle, les yeux ronds. Peut-être plus de vingt ans. Au siècle dernier, en tout cas. Il est fâché depuis vraiment longtemps.

— *Hi han!* Ouais, eh bien, il est têtu comme une mule.

Aubépine ferait mieux, mais Sumac sourit.

Papaye dit qu'il doit aller à la salle de bains, puis avoir une conversation sérieuse par Skype avec les autres parents pour parler de trucs pas marrants avant qu'ils aillent tous se coucher, même s'il n'est que dix-neuf heures ici au Yukon et que le soleil est encore haut dans le ciel.

Parler de trucs pas marrants, c'est parler de trucs de parents. Sic a réussi à inventer presque tout le jargon familial juste parce qu'il est le premier né. C'est injuste, mais on n'y peut rien.

Sumac écoute sa sélection de musique d'été, mais elle appuie sur « pause » en entendant Papaye élever la voix.

— Je *sais* que c'est beaucoup vous demander, dit-il, et je n'ai aucun droit d'exiger ça de vous, mais je suis dans un tel état, je ne peux… un résultat de vingt-deux est considéré comme bénin, n'empêche que, si c'est ça, ça ne peut qu'empirer.

Sumac se demande ce qu'il *exige d'eux*, et quel est ce résultat de vingt-deux. En vérité, elle espionne son père, mais c'est parce qu'elle est stressée et qu'elle a besoin de plus d'information pour se calmer.

— Seulement pour quelque temps, bien entendu, c'est juste pour m'assurer qu'il va bien et voir quelles sont les possibilités… tu ne dis plus rien, mon chéri.

Papaye doit être en train de parler avec Papadum. Il pousse un grognement de frustration.

Pendant une minute, c'est le silence. Puis, la voix de Mamenthe retentit :

— … tu nous entends?

— Seulement la voix, pas d'image. Cette connexion wi-fi est pathétique, répond Papaye.

— Je disais : pourquoi pas des infirmiers à domicile? dit Papadum.

— Non, j'ai suggéré le nom de deux personnes qui se relaieraient, mais papa est complètement épouvanté à l'idée d'étrangers vivant sous son toit.

Silence.

— Nous serions des étrangers, nous aussi, dit calmement Mamandine.

— Nous sommes sa *famille*, proteste Mamenthe.

Sumac se demande comment le grand-père pourrait considérer les Loteau comme sa famille alors qu'ils habitent à cinq mille kilomètres de chez lui et qu'il n'a jamais rencontré la plupart d'entre eux.

— Seulement en principe, dit Mamandine.

— Dois-tu vraiment parler comme un robot? rugit Mamenthe.

Sumac se hâte alors de faire rejouer sa musique : ça lui est égal quand ses frères et sœurs se disputent, mais quand ce sont les parents...

Elle écoute mélancoliquement deux chansons et demie qui parlent de promenades au soleil, de poissons qui sautent hors de l'eau et de fleurs de coton.

Papaye sort enfin de la salle de bains, un sourire contraint plaqué sur le visage.

— Devine quoi? annonce-t-il. Mon père va nous rendre visite.

Sumac essaie d'avoir l'air agréablement surprise.

CHAPITRE 3

LE PREMIER JOUR

À dix-neuf heures, le lendemain soir, Papaye ouvre la porte de la Cameloterie.

— Habitants de la Terre, salut!

Sumac s'avance derrière le grand-père, les yeux fixés sur les talons usés de ses bottes.

Aubépine arrive en agitant les bras, bousculant un miroir au passage, et se jette au cou de Papaye. Bruno la suit.

— Toi apportes les cadeaux? veut-elle savoir.

— Ah! dit Papaye.

Sumac arbore une expression consternée. Ils ont complètement oublié.

— Sont où, les cadeaux? insiste Bruno.

— J'ai un demi-collier en bonbons, propose Sumac.

— On a amené mon papa, dit Papaye, un peu trop joyeusement, en faisant un grand geste vers le vieil homme. Voici Ian, votre quatrième grand-père.

Bruno l'examine d'un air boudeur.

— Pas cadeau, ça. Où, ses sourcils?

Sumac essaie de la distraire avec le collier de bonbons.

Bruno fait la moue, mais elle met le collier autour de son cou.

— Où, ses sourcils? répète-t-elle.

— Ils ont brûlé dans l'incendie, lui chuchote Sumac à l'oreille, parce que, selon une règle familiale, il n'existe pas de question stupide.

Papaye s'approche d'Aubépine et renifle.

— Est-ce que ça sent le dissolvant?

Elle hoche la tête de haut en bas.

— Nous avons collé nos index à nos pouces pour faire une expérience.

— Une expérience sur quoi? demande Papaye. La frustration?

— Pour voir à quel point les humains utilisent leur pouce opposable, explique Mamandine qui arrive dans le corridor. Bonjour, Ian.

Mamenthe descend l'escalier en vitesse, Chêne sur les épaules, et s'écrie :

— Bienvenue, bienvenue! Papadum, ajoute-t-elle en direction du mess, arrête d'émincer des oignons. Ils sont arrivés.

Le regard du grand-père va d'un visage à l'autre. Sumac est soudain contente que les trois aînés soient encore au camp, parce que, si on les compare à la population de Faro, au Yukon, les Loteau semblent déjà très nombreux.

— Aimeriez-vous vous reposer, Ian? demande Mamenthe, qui sautille sur place pour garder Chêne de bonne humeur.

Le visiteur ne répond pas. Il se racle la gorge, ce qui produit un bruit mouillé.

— Vous voulez boire quelque chose?

Papadum apparaît, en s'essuyant les mains sur une serviette.

— Bonjour, Ian… Qui a faim? reprend-il après un instant.

— Ardoise, répond Aubépine, qui sort le rat de la poche de son chandail kangourou.

Le vieil homme plisse les yeux.

— C'est bien ce que je vois?

— Je vous présente Ardoise Frisby. C'est un dumbo bleu américain au poil satin et aux yeux vairons.

Aubépine le tient en équilibre sur sa main et lui fait un bisou sur le museau.

— Frisby à cause de *Madame Frisby et les rats de NIMH*, et Ardoise parce qu'il est tout gris, sauf son ventre blanc, vous voyez?

Devant les petites pattes, le grand-père a un mouvement de recul.

— Range-le, ordonne Mamandine.

Aubépine le remet dans sa poche.

— Oooh! Noon! J'ai failli oublier. J'ai des tourrrs à vous montrrrer ! s'écrie-t-elle.

Sumac se dit que c'est une très mauvaise imitation de l'accent écossais du grand-père. Aubépine prend une main dans l'autre et enjambe la boucle. Trop vite, cependant.

Elle trébuche et s'écrase le visage contre la rampe de l'escalier.

Sumac grince des dents. *Elle ne changera jamais*, songe-t-elle.

Quelques minutes plus tard, Aubépine a un sachet de petits pois surgelés pressé contre sa joue et tout le monde entre dans le mess.

Bruno aide Papadum à faire du guacamole. Elle en renverse la moitié sur elle quand elle retire le presse-purée du bol.

— Pif paf pouf…

— On mange dans dix minutes, annonce Papadum.

— Je vais vous faire visiter la maison, décide Aubépine, qui a retrouvé sa voix normale.

— Regardez, voici notre gym-jo, c'est à la fois un gymnase et un dojo pour l'aïkido, explique-t-elle au grand-père. Sumac dort ici…

Elle ouvre la porte à la volée sans se donner la peine de la refermer.

— Et voici le débarras.

Un fouillis de bottes de caoutchouc, de scooters, de patins à roulettes, de cerceaux et de cordes à danser.

— Et les toilettes si vous avez envie de faire pipi. Avez-vous envie de faire pipi, par hasard?

Mamandine lui lance un regard courroucé.

— Ces barrières pour enfants sont un peu compliquées, intervient Mamenthe en précédant le visiteur. Vous devez abaisser ce petit machin en soulevant la barrière.

En arrivant à l'étage, elle ajoute :

— Oh! et prenez garde au tapis roulant du poste de travail. Il occupe la moitié du palier, mais c'est *tellement* bénéfique du point de vue cardiovasculaire.

Elle fléchit les genoux pour que le mobile en plumes ne heurte pas le visage de Chêne.

Sumac examine de dos les longues jambes du grand-père dans le pantalon en denim. S'il essaie de courir sur leur tapis roulant, c'est sûr qu'elles vont se casser comme des branches mortes.

— Il y a une autre salle de bains ici, Ian, dit Mamandine en tapotant la porte sur laquelle les mots *Le bain romain* sont comme gravés.

Ils entendent Papaye prendre une douche froide, mais il ne chante pas des succès de Broadway comme il le fait d'habitude.

— Cette pièce est notre théâtre, continue Mamandine, et la chambre turquoise est celle de Bruno et de Chêne, nos plus jeunes.

Aubépine secoue maintenant son sachet de petits pois comme des maracas.

— Nous dormons juste ici.

Mamenthe agite le doigt entre elle et Mamandine pour indiquer que *nous*, ce sont les mamans.

— Et la chambre là-bas est celle de Papaye et de Papadum.

— Qui?

Le mot est soudain sorti de la bouche du vieil homme comme le hululement d'un hibou.

— Papaye, votre fils, vous vous rappelez? dit Sumac en articulant très clairement.

Elle se demande si le grand-père est de nouveau confus. Il y avait peut-être de la fumée dans sa tête et le médecin ne l'a pas vue.

— Mon fils s'appelle Rrréginald, rectifie le grand-père.

— Désolée, intervient rapidement Mamenthe. Des surnoms parentaux bébêtes. Mais ils nous sont restés.

Sumac se dit que Réginald paraît bien plus bébête que Papaye.

— Hum… Nous avions peut-être bu trop de téquila le soir où nous les avons choisis, insinue Mamandine.

Les yeux de lézard du vieil homme se promènent sur tous les membres de la famille Loteau tandis qu'il sort le paquet de cigarettes de la poche de sa chemise.

— Ah! oui, dit Mamenthe.

C'est sa façon de dire non. Elle joue avec l'extrémité de sa longue tresse noire parsemée de fils gris.

— On fume pas, entonne Bruno.

— Pas dans la maison, précise Mamandine. Mais dans la cour, c'est parfait. Je fume moi-même une cigarette par jour.

Sumac ne comprendra jamais pourquoi une personne aussi disciplinée que Mamandine ne peut pas renoncer complètement à cette horrible habitude.

Le vieil homme remet le paquet de cigarettes dans sa poche, puis il jette un regard vers Mamenthe.

— Pourrrais-je avoir une tasse de thé? demande-t-il.

— Bien sûr, Ian. Nous allons juste vous montrer le reste de la maison avant le souper.

— J'ai soupé dans l'avion.

— Je vais faire bouillir de l'eau, dit Mamandine.

— Dans ce cas, allons déposer vos bagages, propose Mamenthe.

Les autres grimpent à sa suite au troisième étage. Ils passent devant les chambres des grands enfants.

Aubépine marmonne qu'elle va chercher son slinky. Elle entre dans la salle conviviale et oublie de revenir.

Les voici au grenier.

— Cette nuit, vous pourrez dormir dans la chambre d'ami, explique Mamenthe. Mais nous vous trouverons quelque chose de mieux demain matin.

Il y a quelques toiles d'araignée dans cette pièce (qu'ils appellent « mi-chambre »), mais, selon Sumac, c'est bien moins sordide que le cagibi du sous-sol que les Loteau n'utilisent que quand ils invitent accidentellement trop de visiteurs.

Ils laissent le vieil homme s'installer.

— Pas très causant, le grand-père, hein? fait remarquer Aubépine en les rejoignant dans l'escalier.

Elle porte son slinky autour du cou comme une collerette élisabéthaine.

— Il doit être épuisé, et peut-être un peu timide, murmure Mamenthe.

Le visiteur ne descend pas déjeuner le lendemain matin. Papadum monte un plateau au grenier.

Sumac déplace la croûte de sa petite rôtie au-dessus de son œuf lune : la pleine lune se transforme en croissant, puis disparaît. Les Loteau sont en pleine discussion : poser ses genoux sur la table (Aubépine) est-il moins répréhensible que sortir des aliments mastiqués de sa bouche pour les examiner (Bruno)?

Apparemment, les quatre parents devront avoir une autre conversation sérieuse après le petit déjeuner. Mamandine demande aux enfants de dresser la liste des bonnes manières à table « de façon à ne pas trop perturber votre grand-père ».

— Sur le trampoline, suggère Aubépine.

— J'aurai mal au cœur si je dois sauter et écrire en même temps, proteste Sumac.

Elle s'installe donc dans le fort dans l'arbre pour faire la liste tandis que Bruno fait le chien tête en bas et qu'Aubépine monte et descend l'échelle à la fenêtre, se balance sur la corde et atterrit dans l'herbe. Sumac écrit :

Ne pas apporter de livres/d'écrans/d'écouteurs à table

Ne pas critiquer la cuisine

Ne pas se plaindre, ne pas se quereller

Ne pas manger comme un chien

Ne pas entasser, cracher, s'empiffrer, se faire vomir

après avoir trop mangé

Ne pas balancer la nourriture (plus haut que le menton)

Ne pas donner des coups de coude/lancer/voler

Ne pas tourner le dos, se coucher, manger la tête en bas

Ne pas s'essuyer les mains sur les vêtements (les nôtres/

ceux des autres)

Ne pas roter/péter par exprès

Quand les trois filles commencent à s'ennuyer et se mettent à parler de vers solitaires, Mamenthe tape sur l'échelle. Elle leur fait passer Chêne par la fenêtre comme un colis et prend la liste pour voir ce qu'elles ont écrit.

— L'heure du repas au zoo, murmure-t-elle.

— Ce n'est pas une bonne liste? demande Sumac, un peu offusquée.

— Magnifique, s'il s'agit d'avoir mal au cœur, répond Mamenthe. Vous avez énuméré tous les comportements dégoûtants possibles.

— Pas *tous*, dit Aubépine, qui se balance sur la corde. Je peux aussi penser à plein de trucs encore plus dégoûtants à faire à table, comme…

— S'il te plaît, l'interrompt Mamenthe.

Sur le tapis qui couvre le sol rugueux du fort dans l'arbre, Chêne, le visage sur son pied, suit des yeux les petits grains de poussière qui dansent dans un rayon de soleil.

— C'est juste que tout est négatif. Pourquoi ne pas avoir proposé quelques recommandations?

— Par exemple, au lieu de *ne pas laper comme un chien*, dire *manger comme un être humain?* suggère Aubépine.

— Quels êtres humains? veut savoir Sumac.

— Très bonne question, acquiesce Mamenthe. Ce qui est poli en France est grossier au Japon.

— Évidemment, ce que je voulais dire, c'est *Ne mets pas ton visage dans ton bol, Aubépine,* dit Sumac.

— Ça ne dérange personne quand c'est Diamant qui le fait, rétorque Aubépine de loin, un peu essoufflée.

— Chaque espèce a ses règles, pas vrai? reprend Mamenthe. Pourrions-nous en formuler quelques-unes de façon positive?

— *Roter et péter… accidentellement*, suggère Aubépine.

Elle ricane et Bruno pouffe de rire avec elle.

— Oublions celle-ci, murmure Mamenthe.

Sumac entre dans la maison pour se calmer un peu. Elle a besoin de voir Papaye pour qu'ils puissent enfin commencer à être de vrais Mésopotamiens. (Dans l'avion, elle a essayé de l'interroger sur les mots pendant que le grand-père ronflait, mais il n'en a trouvé que trois sur vingt.) Sur le tableau d'affichage à côté de la porte d'entrée, elle déchiffre « dinigue av. paaa ». Ce doit être un message secret pour elle en sumérien, pense-t-elle, folle de joie. Mais elle finit par comprendre que c'est simplement « clinique avec papa ». Son écriture est illisible.

Dans la bibliothèque au dernier étage de la maison, Sumac regarde des images de sculptures mésopotamiennes. Après avoir passé une semaine à la Cameloterie, un voyageur ukrainien a peint le plafond pour remercier la famille. (Son amie Isabella a tellement peur de la peinture qu'elle refuse d'entrer dans la pièce.) On a l'impression d'être à l'intérieur d'un livre, c'est comme une illustration qui prend vie, avec une paire de mains géantes qui tournent les pages.

Comme la porte de la mi-chambre est fermée, Sumac ne voit pas si quelque chose a changé à présent que le grand-père y habite.

Un étage plus bas, dans la salle conviviale, Papadum et Mamandine font la moue devant un ordinateur portable tandis qu'Aubépine et Mamenthe enseignent la technique du hula hoop à Bruno. Cette dernière essaie de faire tourner le cerceau autour de sa toute petite taille, mais elle ne parvient à le faire tourner qu'une fois et demie avant qu'il ne tombe.

— On parlait des manses, annonce Aubépine à Sumac par-dessus son épaule.

Papadum renifle.

— *Démence*, la corrige Mamenthe. C'est un problème cérébral dont souffre peut-être votre grand-père. Les manses étaient des petits domaines agricoles au Moyen Âge.

— *Trois attitudes : rester serein, rassurant, respectueux*, lit Papadum sur l'écran de l'ordinateur.

Sumac s'approche pour voir ce qui est écrit. Le titre du texte : *Maladie d'Alzheimer et autres démences : comment prendre soin de votre être cher.*

Mais ce vieil homme n'est pas leur *être cher*. Sumac n'a pas l'impression qu'il soit l'être cher de qui que ce soit : il ne l'est plus puisque la mère de Papaye est morte il y a plus de trente ans. À moins qu'il ait des amis proches à Faro?

Bruno essaie de nouveau de faire tourner le cerceau, mais elle bouge trop lentement, et il tombe.

— Peux-tu résumer la vidéo pour Sumac? demande Mamandine à Aubépine, qui louche toujours un peu quand elle essaie de se rappeler quelque chose.

— Ces enfants complètement débiles pleurnichaient, bou hou, parce que leur grand-mère atteinte de manse, de *démence*, ne se rappelait plus leurs noms, bla bla bla, alors ils ont fait un album de photos avec elle. Fin.

— Tu n'y vas pas de main morte, fait remarquer Mamenthe.

— Hé ! Au moins j'écoutais, s'écrie Aubépine.

— Dément, c'est un peu détraqué, comme les détraqueurs dans *Harry Potter*, dit Sumac.

Elle le plaint et tout. Mais ce quatrième grand-père vient tout juste d'apprendre leurs noms et ils le connaissent à peine, alors elle ne voit pas trop pourquoi ils devraient pleurnicher.

Mamenthe tend un cerceau à Chêne du côté gauche. (Le physiothérapeute du bébé leur répète toujours de lui faire travailler son bras et sa jambe gauches pour qu'ils deviennent aussi forts que ses membres droits.)

— Rappelez-vous seulement qu'Ian aura probablement plus envie de parler du passé que du présent, ajoute Mamenthe.

Mais tous les vieux sont comme ça, pense Sumac. Même les moyennement vieux. Ses parents évoquent toujours les folies qu'ils ont faites dans leur temps, c'est-à-dire la fin du siècle dernier.

— Je vais répéter tous mes meilleurs tours pour lui, parce qu'il y avait des acrobates dans l'ancien temps, dit Aubépine qui croise les mains dans son dos et passe à travers.

— Tu vas montrer tes tours à ton grand-père, Chênouchou? demande Papadum.

— *Regardez mon mien!* s'écrie Bruno.

Elle grimace avec effort, mais son cerceau tombe presque tout de suite. Sa bouche tremble et, d'un coup de pied, elle l'envoie valser à travers la pièce.

— Tu veux réessayer la tasse de thé? demande Aubépine en lui lançant son jeu de ficelle.

— Regarde, moi fais tasse de thé, dit Bruno à Sumac, ses doigts emmêlés dans la ficelle.

— Et presque les yeux du hibou, dit Aubépine. Sauf qu'il louche un peu.

— *Idéalement, la maison devrait être petite, moderne et sur un seul niveau*, lit Papadum à voix haute. *L'environnement doit être structuré et prévisible.*

— C'est comme ces trucs à l'épreuve des bébés qu'on trouve dans les manuels parentaux, ronchonne Mamenthe. On a jeté tout ça par la fenêtre à la naissance de Sic.

— Quelle fenêtre? veut savoir Aubépine, tout excitée. Une fenêtre en haut? Celle du grenier?

Le museau pointu d'Ardoise apparaît dans l'encolure de son pyjama.

— C'est une métaphore, répond Mamenthe. *Une existence calme et routinière pour le reste de sa vie*, continue-t-elle en tapotant l'écran. Est-ce que ça ressemble à la Cameloterie?

Très juste, pense Sumac. *Ici, il n'y a qu'une routine : se lever et décider ce qu'on veut apprendre.*

— C'est ce qui m'inquiète, murmure Papadum.

— Mmm, approuve Mamandine en hochant la tête.

Sumac s'approche pour voir ce qu'ils sont en train de lire. *Si vous avez toujours eu une relation difficile ou déficiente avec le parent aux facultés affaiblies, ce genre d'aménagement n'est peut-être pas indiqué.*

— Ça veut dire que le grand-père est un ivrogne? demande-t-elle.

— Quoi?

— Ah! « facultés affaiblies », comme quand on parle de conduite en état d'ébriété, dit Mamandine en souriant. Non, ça veut dire que la démence, s'il est atteint de démence, trouble son esprit... comme l'alcool, je suppose.

— En fait, il a l'air de commencer à perdre la boule, ajoute Papadum.

Aubépine éclate d'un de ses fous rires.

— Moi ai perdu boules, dit tristement Bruno, qui confond les mots « boules » et « billes ».

— Papadum ne parle pas de billes, explique Sumac qui se dit que Papadum devrait se rappeler que Bruno est trop jeune pour les métaphores.

— Cachées pour pas Chênou les mange, reprend Bruno.

— Le cerveau du grand-père est comme ça, lui dit Mamenthe. Ce n'est pas une vraie boule.

— Qu'est-ce qu'on entend par *pas indiqué?* demande Sumac.

— Ce site Web ne conseillerait pas à Papaye d'accueillir son père ici, répond Mamandine, parce qu'ils ne se sont jamais très bien entendus.

— Pfft, fait Mamenthe. Ce site Web manque d'imagination. À mon avis, c'est exactement ce dont Ian et Papaye ont besoin : de réconfort.

Papadum lève les yeux au plafond.

— De toute façon, que sommes-nous censés faire d'autre? C'est un cas d'urgence.

— *Ni na! ni na!* chantonne Bruno.

Chêne mâchouille sa manche et prononce quelque chose qui ressemble à *ni na*. Tout le monde applaudit.

— Ce que je veux savoir, demande Aubépine en gardant son rat en équilibre sur sa tignasse, telle une mèche postiche, c'est comment on va l'appeler.

— C'est une excellente question, répond Mamandine.

— Hé! que c'est lent! dit Bruno.

— Baba? Grand-pépé? suggère Mamenthe.

Aucun des deux noms ne semble approprié.

— Ian? propose Papadum.

— Pas question, maugrée Aubépine.

Le cerceau est en équilibre sur sa tête, et elle le balance de gauche à droite.

Bruno fait un grand cercle avec son petit derrière. Le cerceau tourne deux fois, puis tombe bruyamment.

— Grand-papi? dit Mamenthe.

Sumac fait signe que non.

— Grand-pépette! s'écrie Aubépine. Non, Gripette, c'est mieux!

Ravie d'avoir trouvé ce mot, elle tend deux fois le poing en l'air.

Papadum commence un bras de fer avec Chêne au-dessus du cerceau. Le bébé rit tellement qu'il perd son équilibre et tombe sur le côté, le visage sur le tapis.

Dans le grenier, l'endroit consacré aux arts plastiques, Sumac s'efforce de créer quelque chose de brillant pour

Gripette. (Maintenant, elle ne peut s'empêcher de l'appeler comme ça — juste dans sa tête, bien entendu, pas devant lui.) Si la démence peut inciter les gens à parler tout le temps du passé, mais qu'il est trop timide pour commencer, ceci pourrait se révéler utile. Sumac serait alors la première de la famille à le réconforter pendant son séjour, comme la fille du *Monde de Narnia* (mais laquelle?) qui charme le vieux et triste touille-marais.

Après avoir examiné toutes les petites photos pâlies dans l'album intitulé *Faro, Yukon, 1965-1983*, Sumac choisit celles où l'on voit Papaye et ses parents et elle les étale sur la table de billard. Puis elle les numérise pour faire un diaporama. La mère décédée de Papaye a un joli visage creusé de fossettes et les cheveux tout bouclés. Sur une photo, on la voit en bikini sur un rocher. Elle prend peut-être un bain de soleil, parce qu'il n'y a pas d'eau aux alentours. Il y en a une autre, plutôt amusante, où elle porte un pantalon et un foulard jaunes et tient un bébé laid et braillard sur ses genoux. La plupart des bébés sont plus jolis que les adultes qu'ils deviennent, mais, dans le cas de Papaye, c'est manifestement le contraire. Sumac utilise l'effet Ken Burns pour zoomer lentement. Puis elle décide que Gripette préférerait probablement voir sa jolie femme que le bébé Papaye au visage violacé; elle zoome alors vers celui de la maman. Comme il n'y a pas beaucoup de photos, Sumac les fait durer dix secondes chacune. Il semble qu'autrefois on prenait une ou deux photos de son rejeton, puis on rangeait l'appareil pendant des mois jusqu'à ce que l'enfant ait un peu grandi.

Elle essaie d'intercaler quelques transitions sympathiques entre les photos, des mosaïques, puis des gouttelettes, mais elle se dit en fin de compte qu'une personne âgée préférerait sans doute voir les photos se succéder comme dans un livre. Pour trouver la musique de fond, elle consulte le site succesdechaquedecennie.com. En ce qui concerne les chansons des années soixante, elle ne connaît que *What a Wonderful World*, celle dont les drôles de paroles disent qu'on ne sait pas grand-chose sur l'histoire ou la biologie. C'est donc celle qu'elle choisit parce qu'elle convient à un bébé.

Ding-Ding-Ding!

On entend le bruit lointain de la cloche qui annonce l'heure du souper. De toute façon, Sumac a fini. Elle suppose que le vieil homme sera touché quand il saura qu'elle a fait tout ce travail.

Dehors, dans l'arrière-cour de la Cameloterie, il n'y a même pas assez de vent pour faire tinter le carillon.

— Le rrrat est-il dans les parrrages? s'informe Gripette, l'air méfiant.

Sumac le rassure.

— Depuis le jour où il a volé le jambon du sandwich de Mamandine, Aubépine n'est pas autorisée à l'amener aux repas.

— Et si nous récitions le bénédicité ce soir, en l'honneur de ton père? propose Mamenthe à Papaye.

— Quelle bonne idée! dit ce dernier.

Il se lève d'un bond, écrase une petite bestiole sur le col de son tee-shirt et commence à réciter la prière écossaise :

Certains ont de la viande et n'en mangent pas,

Et certains en mangeraient, mais n'en ont pas;

Mais nous en avons, et nous pouvons manger,

Alors que le Seigneur soit remercié!

— Bouya! croasse Opale, perché sur la balustrade.

Le grand-père a les yeux fixés sur son assiette vide. Sumac se demande s'il prie ou s'il est fatigué. Peut-être que son cerveau est en mode veille comme un ordinateur?

— Désolé, dit Papadum, en sortant du mess. Le quinoa a encore besoin de dix minutes de cuisson. Bruno a fait sonner la cloche un peu trop tôt.

Bing bang! Dans un placard, Chêne empile des casseroles.

— Dans ce cas, puis-je montrer mon diaporama maintenant? demande Sumac, parce qu'elle appréciera davantage le repas quand ce sera fait.

— Bien sûr, dit Mamandine. De quoi s'agit-il?

— C'est une surprise. Pour… pour vous, ajoute-t-elle gauchement en indiquant le grand-père d'un signe de tête, parce qu'elle ne sait pas encore comment l'appeler.

— Charmant! s'écrie Mamenthe qui se hâte d'aller chercher le projecteur.

— Tu es vraiment gentille, murmure Papaye à Sumac.

Elle s'assure d'orienter directement le projecteur vers le grand drap blanc suspendu contre le mur de briques de la maison et demande à Mamandine de changer de chaise parce qu'elle est si grande qu'elle pourrait bloquer la vue de Gripette.

Une fois tout le monde installé, Sumac appuie sur la touche de lecture. La chanson commence sur une image montrant les montagnes du Yukon, la petite maison et une vieille voiture, un Ian plus jeune debout à côté, coiffé d'un casque comme Papadum en portait sur les chantiers.

Elle glisse un regard vers le vieil homme, mais il sirote son verre d'eau et elle n'arrive pas à deviner ce qu'il ressent.

Voici maintenant la mère de Papaye dans son bikini à pois, et le chanteur dit qu'il ne sait pas grand-chose de la géographie, la trigonométrie ou l'algèbre. Sur la photo suivante, elle creuse dans le jardin et le bébé Papaye met ses orteils dans la bouche…

Badaboum! Gripette a reculé sa chaise si vite qu'il a failli s'écrouler dans le massif de lilas. Papaye bondit.

— Papa! s'écrie-t-il. Ça va?

Mais le vieil homme s'éloigne en bousculant les enfants, il enjambe Bruno, entre à grands pas dans le mess et claque la porte derrière lui.

La chanson continue, un plus un égale deux, puis voici le petit Papaye (toujours aussi laid) sur un tricycle et sa maman qui court à côté de lui...

Sumac éteint le projecteur et le grand drap sur le mur redevient un simple drap.

— Qu'est-ce qu'il lui arrive? demande Aubépine. C'est parce qu'il est démenté?

Papaye presse sa main contre sa bouche.

— Je voulais juste faire un album de photos, dit Sumac d'une toute petite voix.

— C'est ma faute, soupire Mamenthe. J'ai dit que Ian aimerait peut-être mieux parler du passé que du présent, mais je ne voulais pas dire qu'il fallait l'obliger à le faire.

Je ne l'ai pas obligé à faire quoi que ce soit! songe Sumac, furieuse.

— Parfois, les gens ne sont pas d'humeur à se rappeler, dit Papadum.

Papaye ramasse le pichet presque vide et va dans le mess.

— C'est seulement son premier jour à la maison, dit Mamenthe. Je parie qu'il va bientôt se sentir à l'aise avec nous.

— Il est seulement venu nous rendre visite, n'est-ce pas? demande Sumac d'une voix soudain chevrotante.

— Nous... nous en discutons encore, répond Mamandine en jetant un regard à Papadum.

— Nous nous sommes entendus pour voir comment ça se passe, ajoute Papadum.

Son ton n'est pas particulièrement guilleret.

Un instant. Sumac est allée au Yukon pour réconforter le grand-père et lui trouver un autre endroit où vivre *là-bas*. Onze personnes vivent déjà à la Cameloterie, en ne comptant que les humains. Gripette est venu leur rendre visite, mais ça ne veut pas dire qu'il peut *rester*.

Sumac referme brusquement l'ordinateur portable.

CHAPITRE 4

LE PRÉSENT

Le réveille-matin de Sumac indique 6 h 13. Elle entend les mésanges mâles à tête noire chanter leurs deux notes — *da da* — le seul chant d'oiseau qu'elle reconnaît toujours parce que c'est *sol* et *fa* au-dessus du *do* central. La porte-moustiquaire grince et claque lorsque Mamenthe sort et va sur la pelouse derrière la Cameloterie pour rendre grâce. Elle remercie les Hommes, la Terre, l'Eau et le Ciel. (Ses ancêtres mohawks auraient probablement hurlé leurs salutations, mais ils ne vivaient pas dans une ville de six millions d'habitants et n'avaient pas des voisins râleurs comme Mme Zhao.)

Sumac se recroqueville en position fœtale lorsqu'elle se rappelle avoir bouleversé le nouveau grand-père hier soir avec son diaporama alors qu'elle essayait seulement de se montrer gentille avec lui. *Est-il resté longtemps fâché?* se demande-t-elle. La démence nous fait oublier des choses, ce qui peut se révéler plutôt pratique quand il s'agit de celles qui nous perturbent.

Boum! entend-elle au-dessus d'elle : voilà Bruno qui saute de son lit. Pourquoi ce sont les plus petits pieds qui font le plus de bruit?

Sumac monte à l'étage et entre dans la chambre des pères.

— Bouge-toi, fais de la place! crie Papaye.

— Chut, dit Papadum.

Il invite Sumac à les rejoindre dans le lit où Bruno et Chêne sont déjà blottis comme des chiots entre les grands corps des papas.

— Chêne! Chênou-chou, dit Bruno. Pousse-toi!

Papadum lui demande de parler moins fort.

— Oh! Mon père ne peut s'attendre à ce qu'une famille aussi nombreuse soit silencieuse comme un tombeau, dit Papaye.

— Lui pue, décrète Bruno.

— Ce n'est pas gentil, lui reproche Papadum.

— C'est à cause du tabac. Avant, j'adorais cette odeur, dit Papaye, nostalgique. Mais toi, tu sens bon comme du jambon, ajoute-t-il en reniflant la tête rasée de Bruno.

Sumac la respire à son tour.

— La fraise. Non, la framboise.

— Tu as mangé du jambon hier soir? demande Papaye à Bruno. Tu es allée à une fête dans les bois, pas vrai? Tu as bondi avec les douze princesses danseuses?

— Moi, prince, répond-elle.

Bruno n'a jamais vraiment déclaré être un garçon, mais elle ne laisse personne dire qu'elle est une fille.

— Et toi, où?

— Hier soir? Je campais sur la Lune, bien entendu.

— Na!

— Sapin couche dehors en été, non? Eh bien, moi, je dors sur la Lune.

— Toi, gros menteur, dit Bruno.

— On se chatouille! crie Aubépine depuis la porte de la chambre.

Et elle atterrit comme une bombe au milieu d'eux.

— Casse pas le babou! rugit Bruno.

Aubépine extrait Chêne de la pile et le tient dans les airs comme un hélicoptère.

Il pouffe de rire et sa bave pend comme une toile d'araignée. Aubépine l'incline au-dessus de Papadum.

— Allez! Fais-le sortir du lit!

— Je connais une blague sur un lit, dit Sumac.

— Tu gâches toutes les blagues, grogne Aubépine.

Sumac décide d'ignorer ce commentaire.

— Alors voilà. Qu'est-ce que la couverture…

— Celle-là, tout le monde la connaît, l'interrompt Aubépine.

Sumac serre les lèvres et décide de la raconter une autre fois, quand sa sœur ne sera pas dans les parages.

— Pouvons-nous aller à la plage aujourd'hui? demande-t-elle plutôt.

— Pourquoi pas? répond Papaye.

— À moins que ton père... commence Papadum.

Zut. L'espace d'une microseconde, Sumac avait oublié le grand-père.

Elle aimerait qu'il soit encore endormi au Yukon. Maintenant, il ressemble davantage à un volcan sur le point d'entrer en éruption.

— Nous irons bientôt, la rassure Papaye. On ne va pas mettre nos vies en suspens.

— Il peut encore nager avec sa dimension? demande Aubépine.

— Démence, rectifie Sumac.

— Ça me plaît, ricane Papaye. *Le grand-père d'une autre dimension.* Oui, je parie qu'il sait encore nager.

Quelque chose dérange Sumac.

— Il n'a pas vraiment l'air d'avoir un problème urgent au cerveau, dit-elle.

— Ma foi, je suppose que, jusqu'à présent, il perd seulement un peu la boule, ce qui veut dire qu'on ne voit pas les trous dans toutes les conversations, explique Papaye en se tapotant la tête. C'est comme le gruyère : parfaitement solide entre les trous.

Aubépine flanque Chêne sur Bruno.

— C'est à mon tour de me faire chatouiller. Les autres, tirez-vous!

— *Toi*, te tires, gronde Bruno.

— Mes enfants adorés, dit Papaye en les serrant tous les quatre dans ses bras, l'amour n'est pas une tarte.

— L'amour n'est pas gluant, tu veux dire? veut savoir Aubépine.

— Quelles sont les autres qualités d'une tarte? demande Papadum.

— Friable? Collante? Dégueu, si c'est une tarte à la citrouille?

— On ne doit pas se battre pour en recevoir une pointe? suggère Sumac.

— Il y en a vraiment assez pour tout le monde, acquiesce Papaye. Parce que c'est une tarte magique qui grossit quand…

Il laisse entendre un terrible grognement quand Bruno s'agenouille sur son estomac.

Pas de plage aujourd'hui, parce que les parents sont occupés à organiser les choses pour le grand-père.

Mamenthe met l'arroseur en marche pendant l'après-midi, mais ce n'est pas comme les vagues d'un lac.

En ce moment, Sumac observe les asclépiades au fond de la brousse tout en essayant de chasser les moustiques qui voltigent autour de son visage. Armée d'une loupe, elle est penchée au-dessus d'un mètre carré du sol et note les données sur le formulaire hebdomadaire qu'elle enverra au programme sur le papillon monarque.

Densité (nbre d'asclépiades)	
Précipitations (dernières 24 heures)	
Température	
Larves	
Pucerons (vivants/momifiés)	

Sumac aime le travail de science citoyenne. Dans ce cas, il s'agit d'aider à déterminer ce dont les papillons ont besoin pour survivre. Mais de la crème solaire coule dans ses yeux, et ça brûle tellement qu'elle distingue à peine un grumeau de nectar d'asclépiade d'un œuf de monarque. Actuellement, elle aimerait vraiment mieux lire *Chaussons de danse* couchée sur le ventre dans le fort dans l'arbre, là où elle pourrait respirer l'odeur de l'herbe coupée tout en étant à l'abri du soleil.

Quand elle revient finalement, titubante, dans la cour, elle se dit qu'elle souffre peut-être d'une insolation. Là, elle trouve Mamenthe, du pollen jaune plein les cheveux, en train d'arracher les mauvaises herbes des laitues dans les plates-bandes surélevées en forme de bateau. Elle est assistée de Bruno, qui ne porte que son minuscule bas de maillot de bain et un plastron médiéval en plastique. Au soleil sur son perchoir portable, Opale attrape des fourmis dans l'herbe tandis que Topaze se prélasse sur le dos sur le couvercle du bain à remous. (Sumac se dit que les chattes n'ont pas l'air de considérer Opale comme un véritable oiseau qu'elles devraient essayer de manger, ce qui est un peu insultant.)

Chêne rampe vers Sumac en babillant des mots inintelligibles, la bouche barbouillée de brun.

— Tu as encore mangé de la terre, Chênou-chou?

Il arbore un grand sourire.

— Ah! Non! Pas encore! s'écrie Mamenthe.

Elle se redresse et, une main sur les reins, ramasse le bébé.

— Au carré de choux… tout de suite…

C'est le parc de Chêne, installé à l'ombre du grand érable. Elle l'y dépose avec une pile de vieux pots de fleurs et un ballon de plage.

— Venez vous hydrater, les jeunes.

Papadum sort de la maison avec un pichet de limonade, une assiette de pastèque jaune sous un filet et une autre de muffins encore fumants. Ils sont aux bananes, teintés de rose avec du jus de betterave, et il a dû y ajouter plein de graines moulues, mais on ne le sait pas.

Aubépine en enfourne un dans chacune de ses joues.

— Regardez, je suis un tamia rayé, baragouine-t-elle.

Au fond de la brousse, Sumac aperçoit Mamandine chaussée de bottes de caoutchouc; avec ses gants et son masque blanc, elle a l'air de sortir d'un film sur la fin du monde.

— Qu'est-ce que tu fais? demande Sumac.

— Je ramasse des excréments de ratons laveurs. Comme ça, nous n'attraperons pas de vers parasites qui nous rendraient aveugles et nous feraient tomber dans le coma.

— Beurk.

Excréments : un autre euphémisme. Crottes, fientes, caca, étrons ou guano si on est un oiseau.

Mamenthe apporte une tranche de melon d'eau à Mamandine et relève son masque pour la faire manger.

On entend alors Aubépine hurler depuis la maison :

— Ahhh!

S'est-elle encore une fois tiré un coup de pistolet Nerf (dans le dos peut-être, est-ce possible?) Ou bien faisait-elle la funambule — c'est strictement défendu — sur la rampe et a-t-elle dégringolé les quatre volées de marches?

Non. Ce n'est pas « aah! », mais « lààà! » qu'elle crie. « Ils sont làààà! ». Et Diamant jappe comme un fou. Ça signifie que Sapin, le chéri du chien ainsi que le frère et la sœur aînés sont enfin de retour du camp Jagged Falls.

L'afro de Sic est plus impressionnant que jamais. Il a des aiguilles de pin dans les cheveux et son vieux tee-shirt est l'un des premiers qu'il a imprimés : *Sapins gratuits* sur le modèle de *Câlins gratuits*. Aubépine bouscule Sumac, saute sur le dos de son frère comme une chauve-souris vampire et lui plaque un bisou sur l'oreille.

— Smaquerou! s'écrie-t-il en tendant les bras à Sumac.

Il est le seul à l'appeler comme ça. Elle l'étreint longuement.

— Tu m'as manqué presque autant que Catalpa ne m'a pas manqué, lui chuchote-t-elle à l'oreille.

Ça le fait rire.

Sapin suit, pieds nus, égratigné et couvert de bardanes comme d'habitude, Diamant sur ses talons, pantelant. On remarque à peine que le chien n'a que trois pattes quand on ne fait pas attention.

— Tu piques, dit Sumac à Sic.

Son grand frère sourit et frotte sa barbe naissante.

— Difficile de se raser au fin fond de la campagne…

Jaloux, Sapin fait semblant de tirer sur lui avec une mitraillette.

— Dans quelques années, toi aussi tu auras du poil au menton, petit homme, dit Sic en lui assenant une claque dans le dos.

Puis il esquive le poing de son frère. Sapin a beau n'avoir que douze ans, c'est lui qui frappe le plus fort.

— On aurait dû te ligoter et te laisser dans la forêt, dit Sapin en prenant une voix la plus grave possible. Les coyotes t'auraient dévoré.

— Est-ce une façon de parler à son chef d'équipe?

— C'est juste à cause de ton âge que tu as été nommé. De la discrimination, reprend Sapin, furibond. On aurait dû se baser sur la connaissance de la vie en forêt.

— Connaissance de la vie en forêt? s'esclaffe Catalpa qui sort du mess. Tu es un hobbit fini.

Elle court vers Chêne, le sort de son parc et le couvre de baisers. Sumac remarque qu'elle a la peau parsemée de piqûres de maringouins.

— Pourquoi toi toute tachée? lui demande Bruno.

— Parce que les moustiques l'ont trouvée délicieuse, et comment pourrait-on les blâmer? répond Mamenthe.

Elle serre ses ados dans ses bras : on dirait presque une prise de lutte.

Sumac se sent secrètement soulagée de devoir attendre trois ans avant d'aller faire un séjour en pleine nature à se nourrir de mélange du randonneur, de bœuf séché et de chili réhydraté. Elle essaie de trouver quelque chose d'amical à dire à sa sœur aînée, qui ne lui a même pas encore dit bonjour.

— Hé! J'aime tes bracelets d'amitié.

Ceux-ci montent sur les bras dorés de Catalpa; certains sont ornés de petites perles, d'autres, de feuilles et de petites plumes dans la résine.

— Tu te rappelles vraiment qui a fait chacun d'eux?

— Je ne pourrai jamais l'oublier, répond Catalpa (sur un ton tragique, sa façon de parler, ces jours-ci). Madeleine, Adeline, Ashley, Olivia, Mackenzie, Maya, Alexis, Jasmine, et une autre Madeleine…, énumère-t-elle.

— Aubépine et moi, on a fait des bracelets d'amitié aussi, dit Sumac. Avec des élastiques de notre vieux Rainbow Loom.

Catalpa secoue la tête.

— Alors ce ne sont pas de vrais bracelets d'amitié. Ils doivent être en fil.

Sumac se mordille la lèvre et regrette que sa sœur ne soit pas restée absente plus longtemps.

— Nous a autre grand-père, annonce Bruno en le montrant du doigt.

Sumac sent son estomac se nouer, parce qu'elle l'avait oublié. Tout le monde se tourne et voit Papaye et son père morose arriver dans la brousse.

Mamenthe fait les présentations. Les yeux larmoyants de Gripette vont d'un visage à l'autre. C'est un de ces moments où Sumac voit sa famille comme on la voit de l'extérieur. *A-t-on peur quand on rencontre d'un seul coup toute une bande de nouveaux petits-enfants?* se demande-t-elle.

Gripette ne semble pas effrayé, juste de mauvaise humeur, comme d'habitude.

Sic se montre charmant, bien sûr, comme s'il attendait depuis seize ans de faire la connaissance de son quatrième grand-père.

Sapin hoche la tête : c'est un dur à cuire.

Catalpa agite un tout petit peu la main.

— Puis-je...?

Elle lève la tête vers sa tourelle.

— J'ai promis à mon groupe de musique qu'on improviserait.

— Depuis quand fais-tu partie d'un orchestre? persifle Sapin.

Oh! Merveilleux, pense Sumac. Il ne manquait plus que ça pour que Catalpa devienne un véritable monstre.

— C'est un groupe virtuel appelé Gamme de fer, explique Catalpa, et Mackenzie est pratiquement sûre que les autres m'accepteront une fois que j'aurai envoyé une démo.

Le vieil homme fronce les poils hérissés qui lui servent de sourcils.

— Qu'est-ce qu'un groupe virrrtuel quand on est chez soi?

— Ah! Nous allons tous enregistrer une partie du morceau, et quand toutes les parties seront réunies numériquement en un clic, nous diffuserons le morceau viralement, vous comprenez?

Sumac se dit que le grand-père n'a rien dû comprendre.

— Comme ça, vous n'êtes qu'une bande d'ados qui traînent en ligne, déclare Sapin.

— Voilà ce que j'appelle de la simplification outrancière et brutale, rétorque Catalpa en fusillant son frère du regard.

— Gomme de fer, ça me plaît, dit Sic.

— Gamme, rectifie Catalpa.

Il reste imperturbable, mais fait un clin d'œil à Sumac. Sic essaie depuis des années d'apprendre à Sumac à faire des clins d'œil, mais la moitié de son visage se chiffonne, et Aubépine lui demande toujours (feignant d'être inquiète) si elle a un accident cérébral.

Les Loteau vont souper au restaurant. Chemin faisant, ils croisent un cycliste furibond qui admoneste un chauffeur de taxi. Puis ils traversent une sorte de foire urbaine appelée Fruitarama. Il y a un siècle et demi, quand on a construit les grandes maisons en briques rouges comme la Cameloterie, le quartier était le plus riche de la ville. Puis une autoroute l'a séparé du lac et il est devenu le plus pauvre. Il est maintenant ce que Papaye qualifie de bigarré, une qualité qui rend les choses intéressantes.

Après son cours (elle enseigne bénévolement aux enfants qui ne peuvent se permettre de prendre des cours de chant et de violon), Mamenthe retrouve la famille chez Pierre et Zia. C'est ce que Bruno a compris la première fois qu'ils ont mentionné leur pizzeria locale. Quand on entre, l'endroit paraît vraiment exigu, voire miteux, mais il y a une terrasse spacieuse à l'arrière avec des guirlandes électriques et une table assez grande pour la famille Loteau.

Ce soir, ils ne sont que dix parce que Papaye et son père sont restés à la maison où ils mangeront un plat appelé *bangers and mash,* des saucisses et des patates.

Pendant le premier quart d'heure, on parle de canotage, de portage et de sangles, mais c'est difficile de comprendre les ados qui s'empiffrent de pizza. Chêne s'arrange pour enfouir ses doigts autour des mini-triangles et enfourne tout son poing dans sa bouche. La sauce tomate coule comme du faux sang.

— Et si on parlait de mes cours de conduite? dit Sic.

Il attrape prestement une quatrième pointe qu'il plie en la portant à sa bouche.

— Ah non! Pas encore, grogne Papadum.

Mamenthe prend les joues mal rasées de Sic dans ses mains.

— Fils aîné. Nous n'avons pas de voiture.

— Ah! répond Sic. Justement, sur Autohebdo, il y a une Camry 1992 dont le pare-brise est juste un peu fissuré et elle ne coûte que trois cent cinquante dollars.

— Ça va vraiment attirer les filles, remarque Catalpa d'un ton ironique.

— C'est bon marché pour une épave, dit Papadum.

Aubépine, pour qui manger est une corvée, a avalé la croûte sèche de sa pointe, a fait une boule avec le fromage et a abandonné le reste.

— Mais avec un peu de chance…, reprend Sic, toujours souriant.

— Nous avons utilisé toute notre chance avec le billet de loto et vous tous, les enfants, dit Mamenthe.

Elle secoue la tête si fort que sa tresse évoque un serpent qui tressaute.

— L'univers ne doit plus rien à ce clan, conclut-elle.

Sumac s'aperçoit que Chêne a un morceau de pizza collé à sa joue ronde.

— D'ailleurs, ajoute Mamandine, nous n'avons pas d'espace pour garer une voiture hypothétique.

— On pourrait convertir le terrain de basketball en stationnement, suggère Sic.

— Pas question! vocifère Sapin.

Les trois parents le font taire en voyant Luigi (leur serveur préféré) froncer les sourcils à l'autre bout de la terrasse.

Le terrain de basketball, c'est l'espace qui servait jadis de stationnement devant la Cameloterie. Quand les parents ont emménagé, ils ont semé des plantes indigènes pour essayer de lui redonner son état sauvage, mais il est toujours resté minable parce que les passants y urinaient et y laissaient des tessons de bouteilles. Dès que Sapin a été en âge de parler, il a réussi à les convaincre de le faire bétonner et d'y installer un panier de basketball.

— Convertis donc ta chambre en un tas de compost, lance-t-il en direction de Sic.

Aubépine éclate de rire. Elle s'exerce maintenant à plier ses pouces à l'envers; Sumac préfère ne pas regarder.

— Peu importe, dit Papadum, nous devons discuter de quelque chose d'important.

— Le gelato, propose Sapin. Ça, c'est important.

— Vanille! s'écrie Bruno. Vanille, Chênou-chou.

Le bébé pousse de petits cris excités.

— Puis-je avoir orange sanguine, fruit de la passion *et* stracciatella? demande Sic. Il y a un mois que je n'ai pas mangé de crème glacée.

Sumac trouve cette combinaison peu ragoûtante, mais son grand frère aime faire des expériences.

Mamandine hoche la tête. Elle essaie d'attirer l'attention de Luigi tout en nettoyant Chêne avec une lingette.

— Alors, pourquoi le vieux grincheux ne nous a-t-il pas accompagnés ce soir? demande Sapin. Il n'aime pas la pizza?

Nous, pense Sumac, et sa gorge se serre pendant qu'elle avale la dernière bouchée de sa croûte. *C'est nous qu'il n'aime pas.*

Les trois parents échangent un long regard.

— En vérité, Ian est ce dont… est la personne… dont nous devons parler, dit Papadum, en disposant proprement son couteau et sa fourchette dans l'assiette.

— Combien de temps va-t-il rester? demande Catalpa. Parce que j'ai dit à Olivia, à Mackenzie et à Céline qu'elles pourraient venir cet été quand elles le voudraient.

— Ah! Problème en vue, dit Sic. J'ai dit la même chose à Baruch et à Ben-Zion.

— Isabella peut-elle venir passer la fin de semaine? demande à son tour Sumac. Je lui ai promis qu'on aurait des hot-dogs.

— Vous camperez derrière la maison, mauviettes, se moque Sapin.

— Écoutez, coupe Mamandine, pas de visiteurs jusqu'à nouvel ordre. Apparemment, votre grand-père va habiter avec nous pour l'instant.

Tout le monde écarquille les yeux, sauf Aubépine, qui essaie de nouer ensemble trois de ses doigts.

Catalpa pose alors la question que Sumac poserait si elle pouvait contrôler sa voix.

— Que veux-tu dire par *pour l'instant?*

— Pour le moment présent, répond Mamenthe avec un geste hésitant, dépendamment comment ça se passe.

— Lui, pas un présent, proteste Bruno.

Sic est le premier à retrouver sa contenance.

— Eh bien, on risque de s'amuser un peu. A-t-il une auto?

— Fiche-nous la paix avec ça! rugit Sapin.

— Il ne peut quand même pas la faire venir du Yukon, intervient Papadum.

— Mais la Cameloterie nous appartient! clame Catalpa en secouant ses cheveux noirs comme une rock star. Vous n'avez pas le droit de nous imposer un vieux bonhomme et de faire ça dès que nous avons le dos tourné.

Pour une fois, Sumac est totalement d'accord avec sa sœur aînée. C'est une sensation étrange.

— Ian est le *père* de Papaye, lui rappelle Mamenthe.

— Il ne semble plus en mesure de conduire ou de vivre tout seul, ajoute Papadum.

— Et il n'a aucun endroit où aller, renchérit Mamenthe.

Mamandine hausse un élégant sourcil.

— Enfin… aucun autre endroit, je veux dire, reprend Mamenthe en hésitant. Il y a des résidences, bien entendu, des foyers, mais…

— Des endroits où il serait peut-être bien plus heureux, murmure Mamandine.

— La Cameloterie n'est pas un foyer? s'étonne Sumac.

— Elle parle d'orphelinats pour les vieux, lui explique Sapin.

— C'est ça, et il faudrait payer des étrangers pour s'occuper de lui, dit Mamenthe. Mais, heureusement, nous avons assez de gens, de temps et d'espace pour l'accueillir ici, et nous avons décidé de commencer par ça.

— Heureusement? répète Catalpa, comme si elle était sur le point de vomir. Nous n'avons même pas eu de consille (le mot que la famille Loteau a donné aux « conseils de famille »). Et c'est ça qu'on appelle la démocratie!

— Ce n'est pas la démocratie, *tsi't-ha*, c'est la famille, dit Mamenthe.

— À titre de parents, nous avons parfois la tâche… commence Mamandine.

— Le conseil des quatre a tranché, l'interrompt Sic d'une voix sinistre de jeu vidéo.

— C'est comme ça, j'en ai bien peur. Que ça vous plaise ou non, conclut Papadum.

— Allons, mes chéris, ouvrons nos cœurs, dit Mamenthe. *Venez donc chez moi, je vous invite, y a de la joie chez moi, c'est merveilleux.*

Elle s'interrompt et semble réfléchir :

— Lucienne Boyer? Berger?

— Hein? demande Sapin.

— C'est une vieille chanson d'autrefois.

Sumac devrait chercher le nom de la chanteuse pour Mamenthe. Elle, la bonne fille de la famille, la fille utile, serviable, celle qui résout les problèmes au lieu de les causer. N'est-ce pas?

Chêne se met alors à geindre parce qu'il a de la sauce tomate dans l'œil.

CHAPITRE 5

VENEZ DONC CHEZ MOI

Le lendemain matin, Sumac est dans l'antique pays de Sumer. C'est-à-dire qu'elle est dans sa chambre, assise à côté du trou d'aération avec une tablette. (Chaque été, Papadum résiste à l'idée de mettre la climatisation en marche parce que ça consomme trop d'électricité et que ça fait du mal à la planète, mais il a cédé la semaine dernière et l'a tournée au maximum.) Elle cherche des sorts magiques, des inscriptions grandiloquentes, des recettes bizarres, des poèmes d'Enheduanna, prêtresse d'Ur, qui a peut-être été la première écrivaine du monde... *Dumu* ressemble à « du mou » mais ça veut dire « enfant ». Le mot *ludina* veut dire imbécile. Sumac s'en souvient parce que c'est comme ludique.

— Occupée? demande Mamandine, penchée à la porte.

— J'ai la tête trop pleine, répond Sumac. Elle est comme mon ventre quand j'ai mangé trop de tarte.

— Bon, parlons de Ian. Nous nous sommes demandé quel endroit lui conviendrait le mieux.

Ah! La nuit porte conseil et les parents ont peut-être finalement compris que la Cameloterie ne lui convenait pas.

— Nous avons pensé au rez-de-chaussée, comme ça il sera près d'une salle de bains, et il n'aura pas besoin de monter et descendre l'escalier ou de se débattre avec les barrières pour enfant.

Sumac reste impassible pour cacher sa déception.

— Je me suis dit que tu comprendrais. Tu es si rationnelle.

Mamandine se penche et dépose un baiser sur la raie de ses cheveux.

Elle n'embrasse pas souvent les enfants, alors quand elle le fait, c'est comme si elle les embrassait doublement. De plus, *rationnelle* est un grand compliment, parce que le mot signifie que notre cerveau fonctionne logiquement.

— Tout va bien, donc. Nous pensons que tu aimeras mieux la mi-chambre que le cagibi du sous-sol, non? Je vais…

Mamandine s'interrompt. Un hurlement résonne dans la galerie des miroirs.

— Quelqu'un!

(C'est ainsi que Bruno appelle à l'aide, parce que les Loteau sont si nombreux… bien qu'elle ne reconnaisse pas souvent avoir besoin d'aide.)

Un instant, pense Sumac. *Qu'entend-elle par aimer mieux la mi-chambre?*

Mais Mamandine est déjà partie, en laissant Sumac les yeux ronds, en état de choc. *Rez-de-chaussée, près d'une salle de bains*. C'est-à-dire *cette* chambre, *sa* chambre. Celle qui a un écriteau sur la porte : « Chambre de Sumac », avec l'image d'une grappe de baies de sumac rouges en forme de flamme, depuis le jour de sa naissance. Les parents s'attendent-ils vraiment à ce qu'elle y renonce?

Rationnelle, mon œil! Elle donne un coup de pied à son pouf poire, espérant presque voir les billes de polystyrène voler partout dans la pièce, mais son pied dérape et elle frappe le pied de son bureau.

Recroquevillée sur le plancher, Sumac sanglote et frotte son orteil — probablement cassé. Elle va devoir porter un plâtre. Elle non plus ne pourra pas monter l'escalier ni s'occuper des barrières pour enfant. Ils seront obligés de la laisser ici au lieu de l'exiler dans la vieille mi-chambre pleine de toiles d'araignée.

Quand Sumac émerge de la pièce, avec ses draps et ses oreillers enveloppés dans sa couette rayée arc-en-ciel, elle claudique et a une histoire presque vraie à raconter. Quand on lui demandera ce qui est arrivé à son pied, elle dira qu'elle s'est blessée en transportant toutes ses affaires parce qu'elle devait sacrifier sa chambre pour la donner au nouveau grand-père.

Elle parvient à ouvrir la première barrière, mais la refermer sans coincer les draps dans les charnières se révèle problématique. Elle boitille jusqu'à l'étage et heurte le mobile du système solaire : Jupiter entre en collision avec Saturne. Personne ne sort de la chambre des mères ni de celle des pères pour venir voir ce qui se passe. Elle n'entend pas un son derrière l'écriteau gribouillé par Bruno — dont la moitié des lettres sont inversées :

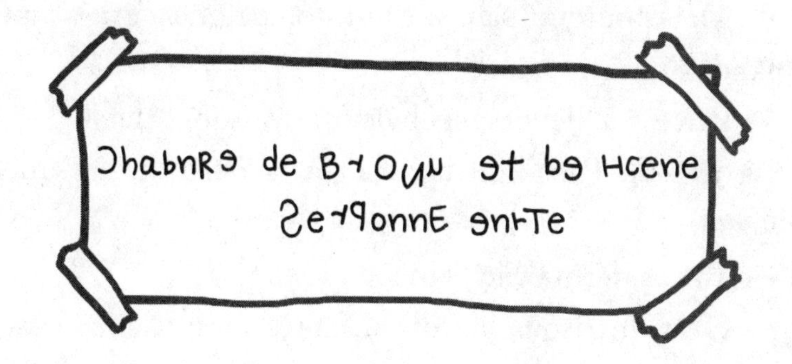

Sumac a encore mal au pied. Mais elle arrête de boiter parce que c'est inutile s'il n'y a personne pour la voir.

Un terrible bruit retentit sur le palier. Sumac traîne ses couvertures jusqu'à la barrière suivante qu'elle enjambe, piétinant les draps de ses sandales poussiéreuses.

— Qu'est-ce que tu fais avec ce bâton sauteur? demande-t-elle à son frère aîné au visage rouge.

— Ce n'est... *boum*... qu'un bref intervalle... *boum, boum*... dans mon entraînement fraise.

— Ton quoi?

Sic sort de sa poche le chronomètre en plastique de la cuisine en forme de fraise.

— C'est un vrai entraînement.

Boum, boum, boum. Il continue d'avancer sur son bâton.

— Vingt minutes de travail cérébral, deux minutes pour récapituler, une pause de quatre minutes, puis on prend son pouls.

Aujourd'hui, le tee-shirt arbore les mots : *Nuls en orthographe du monde entier, unisez-vous!*

— Mais pourquoi sautes-tu sur ton bâton *à l'intérieur?* demande Sumac.

— Parce que dehors, la chaleur est insupportable.

La tête de Papadum apparaît à la porte de la salle conviviale.

— Tu vas détruire le plancher, fiston.

— C'est un risque calculé. D'après mes calculs, c'est tout à fait improbable, affirme Sic. Ces planches ont beaucoup souffert sans jamais céder depuis 1884.

Chêne pousse un petit cri et Papadum rentre dans la pièce sans demander à Sumac pourquoi elle traîne ses draps et sa couette. Elle renifle, submergée de nouveau par un sentiment de colère.

— Et toi, qu'est-ce que tu fabriques? lui demande Sic.

Enfin, quelqu'un lui pose la question.

— Eh bien, j'étais *en train* d'étudier le sumérien...

La plupart des gens éclateraient de rire ou refuseraient de la croire, mais son frère acquiesce d'un signe de tête.

— À neuf ans, j'ai essayé la langue elfique. Jusqu'à présent, qu'est-ce que tu sais dire?

— Surtout des insultes. *Nuzu egalla bacar!* articule Sumac d'une voix rocailleuse. C'est un proverbe qui veut dire *les ignorants sont nombreux au palais.*

Sic pouffe de rire.

— Ça me plaît! Une façon sympa de traiter les gens avec qui on vit d'idiots.

— Ouais, dit Sumac. Et justement, en ce moment, tous les parents sont…

Elle est sur le point de lui déballer toute l'histoire : comment elle a pratiquement été forcée sous la menace d'une arme de quitter la jolie chambre bleu ciel qu'elle occupe depuis sa naissance, mais la fraise bourdonne dans la main de Sic. Il met le bâton par-dessus son épaule comme un soldat épuisé le ferait avec son fusil et retourne à sa chambre.

— Quelle est ta prochaine fraise? demande Sumac.

— Réglementation, avertissements, conditions temporaires, information et panneaux de signalisation.

Déconcertée, Sumac fronce les sourcils. C'est seulement quand il a disparu derrière la porte de sa chambre — les mots « Planète Sic » y sont écrits, accompagnés d'une caricature dessinée par Catalpa — qu'elle comprend de quoi il parle. Même si les parents ont rejeté l'idée hier soir, Sic doit apprendre le Code de la route.

Elle se demande si les Sumériens mettaient des panneaux en argile pour diriger la circulation des charrettes dans les villes d'Uruk et d'Ur.

Elle doit trouver quelqu'un d'autre auprès de qui exprimer ses griefs. La porte de la chambre de Sapin est ouverte. Sa cabane, comme il dit. Le papier peint évoque des planches nues, une blague visuelle qui rappelle le nom de son frère. Sapin est sans doute dans le ravin avec Diamant qu'il tient en laisse pour l'empêcher de poursuivre ou de piétiner quoi que ce soit.

La porte de la tourelle de Catalpa, peinte de façon à faire croire que c'est du fer forgé antique, est fermée. Catalpa a dû aller nourrir ses chiens-guides en formation et jouer avec eux. Elle nettoie même leur chenil. Elle dit que c'est dégoûtant, mais moins que les couches. Catalpa déteste faire du bénévolat; elle n'en fait qu'avec des animaux. Sans les chiens, elle passerait probablement tout le mois de juillet couchée dans son lit à relire ses romans fantastiques de Tamora Pierce et de Suzanne Collins.

Personne ici n'est intéressé à savoir pourquoi Sumac monte péniblement au grenier avec son gigantesque paquet de draps, sa couette et ses oreillers.

La voici au grenier. Les biens de Gripette sont déjà sortis de la mi-chambre — ses valises fermées sont alignées sur le palier —, mais les caisses de bric-à-brac familial encombrent toujours la pièce. Suspendu à la misérable fenêtre, un rideau noir bloque la lumière. Un rameur est appuyé contre un mur, ses bras métalliques tendus pour attraper Sumac. Comme le plafond est pentu au-dessus du lit, elle va sans doute se cogner la tête quand elle s'assoira, la nuit, se demandant où elle est. (Pour aller aux toilettes, elle devra tituber jusqu'au deuxième étage, dans le noir, avec une commotion cérébrale en plus de son orteil cassé.) Cette pièce ressemble davantage à un nid de chauves-souris qu'à une chambre. Comment les parents peuvent-ils, comment osent-ils…

Sumac fait son lit, toujours renfrognée. Ses draps ne semblent pas convenir; elle tire si fort sur un coin qu'elle entend le tissu se déchirer. Elle empile les caisses sur le palier pour former une barricade. Dans le placard, la tringle s'effondre dès qu'elle y pose la main et les cintres dégringolent en un fouillis métallique.

Elle monte et descend bruyamment trois fois, laisse toutes les barrières ouvertes parce qu'elle doit traîner toutes ses affaires au grenier dans des sacs-poubelle; impossible de le faire tout en assurant la sécurité de Chêne, et personne ne vient lui demander ce qu'elle fait ou lui proposer de l'aide!

Elle jette ses vêtements dans les tiroirs coincés de la vieille commode. Cette chambre ne sera jamais belle, alors ça ne sert à rien d'être ordonnée. Elle pousse son tableau d'affichage en liège et son tableau noir sous le lit dans la poussière, fait pareil avec son tapis blanc duveteux qu'elle a roulé. Elle fourre n'importe comment ses livres sur les tablettes, l'un par-dessus l'autre parce qu'il n'y a pas suffisamment d'espace. Elle laisse tomber ses poupées dans un sac au fond du placard, parce qu'elle n'a nulle part où les mettre. Elle lance l'écriteau « Chambre de Sumac » par-dessus; pas question de le clouer sur la porte, parce que ce n'est pas vrai.

Entrant pour la dernière fois dans la pièce où elle a vécu pendant neuf ans, Sumac la contemple mélancoliquement. Elle arrache son baldaquin en mousseline du plafond, sans se donner la peine de ramasser le clou qui roule sur le plancher. Nue, la chambre paraît maintenant bizarre : une cellule de prison avec un ciel d'été sur le mur.

À l'étage, elle entre en boitillant dans la salle conviviale et s'effondre dans une chaise pivotante.

Personne ne demande pourquoi elle semble trop fatiguée pour parler. Affalée sur un gros coussin, Aubépine joue à se battre avec son rat. Mamenthe et Papadum luttent au ralenti avec Chêne, qui hoquette de joie. Puis ils le déposent à terre à côté du canapé pour qu'il s'entraîne à se relever tout seul et à courir autour.

— Comment trouves-tu ton nouvel habitat? demande Mamenthe en posant une main sur la nuque de Sumac.

Puis elle ajoute en s'adressant aux autres :

— Sumac est extraordinairement généreuse. Elle donne sa chambre à votre grand-père.

Sumac a envie de cracher, mais comment peut-elle se plaindre maintenant?

— Comment ça? demande Aubépine, abasourdie.

— Le bonhomme a quatre-vingt-deux ans, rétorque Sumac. On ne peut s'attendre à le voir grimper au grenier chaque fois qu'il veut une paire de chaussettes.

Elle s'efforce d'avoir l'air noble, mais le ton est plutôt arrogant.

— Veux-tu que nous commencions à monter tes affaires, trésor? demande Papadum en se levant.

— En fait, j'ai déjà tout monté.

Sa voix chevrote un peu, un mélange d'autoapitoiement et de fierté.

— Elle est fantastique! s'écrie Mamenthe.

— Il y a des choses à réparer? reprend Papadum.

— Des tas, répond Sumac.

Pour commencer, la tringle du placard, pense-t-elle.

La tête de Mamandine apparaît à la porte.

— Sumac, j'ai lavé les fenêtres, les plinthes et le plancher, dit-elle. Comme ça, au moins, ta chambre paraît plus claire. Quelqu'un peut-il m'aider à déménager ce vieux rameur et à apporter une autre bibliothèque?

— Tout de suite, répond Papadum.

Et Sumac se sent encore plus mal, parce qu'elle voudrait en même temps serrer ses parents dans ses bras et leur botter le derrière.

Avec douze personnes au brunch, Sumac n'a aucune liberté de mouvement. En face d'elle, Aubépine rebondit sur son ballon, puis elle appuie ses mains sur la table et lève ses coudes si loin devant elle qu'ils se touchent; on dirait une araignée géante.

Sumac détourne son regard de sa sœur mutante et verse soigneusement un filet de sirop d'érable sur sa pile de crêpes.

— Ça va, ce matin, Ian? s'informe Mamenthe en posant une main sur la manche de la chemise de flanelle de Gripette. Tout ça doit vous sembler un peu envahissant, vous qui avez l'habitude de vivre seul dans une jolie petite maison tranquille.

Il regarde fixement son assiette, comme s'il ne l'avait pas entendue.

— J'imagine qu'il fait pas mal plus chaud que chez vous, renchérit Sic.

— On a toutes sorrrtes de tempérrraturrres à Faro... Il n'y a pas d'autrrres crrrêpes que ces tachetées? demande-t-il après un silence pesant.

— Ce sont des crêpes aux treize grains, lui explique Mamenthe. Vraiment délicieuses.

— Et ça facilite le transit intestinal, plaisante Sic.

Le vieil homme lui jette un regard torve.

Papadum dépose une grande assiette de bacon sur la table.

— J'avais l'imprrression que les gens de votre espèce ne touchaient jamais au cochon, dit Gripette.

Papadum penche la tête de côté.

— Vous pensez peut-être aux musulmans?

— Aux juifs orthodoxes? suggère Sic.

Gripette hausse les épaules.

— J'ai été élevé dans la religion hindoue, dit Papadum, et mes parents ne mangent pas beaucoup de viande. Mais moi, je suis un omnivore.

Gripette pointe le doigt vers l'assiette de son fils.

— En tout cas, je pensais que *toi*, tu étais végétarrrien.

Il le prononce comme s'il s'agissait d'un mot étranger.

— Comment te dire, papa? Je ne peux pas vivre sans manger, très occasionnellement, une tranche de bacon bien croustillante. Du cochon élevé humainement.

Il en enfourne une.

— *Est-ce que je me contredis?* reprend-il de cette voix que Sumac trouve poétique. *Très bien donc, je me contredis! Je suis vaste, je contiens des multitudes...*

— Ouais, eh bien, tu serras vaste si tu continues à t'empiffrrrer comme ça, dit Gripette.

Papaye ferme brièvement les yeux, puis continue de mastiquer.

Sumac constate quelque chose : le vieil homme a probablement décidé de tout détester à la Cameloterie avant même d'y poser le pied.

Aubépine aspire bruyamment le fond de son verre de smoothie protéiné et saute de son ballon.

— Prends une tâche avant de t'en aller, dit Mamandine en lui tendant le vieux chapeau haut de forme.

(Avant, les Loteau mettaient leurs tâches dans un bol chantant tibétain, mais le chapeau fait bien plus Poudlard.)

— Je vais vérifier très très vite si quelqu'un a attaqué mon portail, puis faire la toilette d'Ardoise, il est tout en sueur.

Aubépine sort Ardoise de la poche de son kangourou et gratouille son ventre gris. Il lui mordille le menton.

— Faire sa toilette ne compte pas comme une tâche domestique, dit Sumac, parce que c'est ton rat et que c'est amusant.

Mamandine secoue le chapeau jusqu'à ce qu'Aubépine prenne une tâche.

— Et pas d'ordi avant que tu aies fini, Aubépine, peu importe dans quel état est ton portail.

— *Laisser tout tomber et lire.*

Aubépine fronce les sourcils.

— On fait un échange, Mamenthe?

— Tu ne sais même pas ce que j'ai, répond celle-ci en pigeant une tâche dans le chapeau.

Aubépine lui arrache la carte.

— *Remplir un panier de jouets!* Super!

— Moi, je renonce à toute activité pour lire *Dans le grand cercle du monde!* s'écrie Mamenthe.

Satisfaite, elle donne un coup de poing dans les airs!

— Et ne remplis pas le panier avec juste une grosse peluche, rappelle Papadum à Aubépine.

Papaye parcourt les grands titres dans le journal gratuit de la ville.

— *Bambini*, qui veut aller entendre un aborigène australien, auteur-compositeur-interprète country ce soir?

Sic jette un coup d'œil par-dessus son épaule et montre la page du doigt.

— Il y a un groupe post-punk hip à la place centrale. C'est là que j'irai pendant que vous écouterez votre folklore.

— Ça marche.

— Cataire?

(C'est ainsi qu'il appelle Catalpa, qui vient tout juste de descendre dans sa longue chemise de nuit noire.)

— À moins que j'aille faire du tricot urbain, répond-elle en bâillant.

Elle et une bande d'autres jeunes de quatorze ans fabriquent en ce moment, et de façon obsessive, des pièces multicolores pour recouvrir les supports de vélos, les tuyaux et les bancs de parc. C'est comme des graffitis, mais en laine.

— Et en ce qui concerne vos défis, vous pouvez tous en parler sur le blogue familial, dit Papaye.

Sumac tend la main pour prendre juste une autre tranche de bacon.

Mais Gripette est déjà en train de manger la dernière et il a l'air d'aimer ça.

Sapin jette tout ce qui est compostable dans le seau métallique et met le reste dans une assiette pour Diamant. Mamenthe récure la poêle à frire; elle repousse sa tresse de cheveux de l'eau mousseuse. Mamandine dépose trois comprimés à côté de l'assiette de Gripette.

— Ce machin ne me fait aucun bien, ronchonne-t-il.

— Mmm, répond-elle, le médecin a dit que les médicaments feront effet dans quelques semaines.

— Ils me donnent des cauchemarrrs.

— J'en suis désolée, Ian. D'habitude, les effets secondaires diminuent avec le temps.

— Et j'ai du mal à digérrrer.

— Ça devrait aider si vous les prenez après un repas, comme maintenant, suggère Mamandine.

Il finit par sortir sa langue de lézard et par les avaler. (Sumac se dit que Mamandine est si tenace qu'elle convaincrait probablement quelqu'un de sauter d'une falaise.)

— Kapow! crie Opale sur son perchoir.

Gripette tourne la tête et regarde l'oiseau d'un air contrarié.

— Toi aimes les perroquets? lui demande Bruno.

Il renifle.

— Quand ils sont à leur place.

— Opale, plein de places, dit Bruno, déconcertée.

— Je pensais à la jungle. Comment vous orrrganisez-vous?

— Nous organiser? répète Mamandine.

— À propos de l'hygiène, explique-t-il en plissant son nez violacé. Ce bestiau vole ici et laisse tomber sa fiente un peu parrrtout.

— Oh! Opale ne vole pas, dit Papadum.

— Et rassurez-vous, ajoute Mamandine. Papadum l'a entraîné à faire ses besoins sur une feuille de papier sur cette étagère.

— Papadum est le chef du troupeau, le chien dominant de la meute, renchérit Sapin.

Aubépine bondit et va caresser l'aile gauche du perroquet.

— Vous voyez son aile tordue? Elle a été endommagée quand il est entré dans le pays en contrebande dans une valise. Nous sommes sa famille d'accueil.

— Ils ont tous quelque chose qui cloche? demande Gripette.

Les Loteau le regardent sans comprendre.

Il hoche la tête vers Diamant, couché sur son coussin à côté de Sapin.

— Ce cabot handicapé et le chat qui a peur de son ombrrre…

— Quartz est une chatte, et elle est juste moins sociable que sa sœur Topaze, dit Sumac. Mais il n'y a rien de mal à être introvertie.

— Et si vous vous donnez la peine d'observer Diamant, vous verrez qu'il bouge mieux sur trois pattes que la plupart des chiens sur quatre, ajoute Sapin.

Un silence pesant s'installe. *Deux jours*, pense Sumac, *le grand-père n'est ici que depuis avant-hier soir, mais on dirait qu'un gros nuage gris précurseur d'orage plane au-dessus de la maison.*

Le vieil homme dépose bruyamment son assiette à côté de l'évier.

— Gripette ne choisit pas une tâche? demande Aubépine. Il est trop vieux pour les corvées?

Sumac jette à sa sœur un regard furibond. Il n'est pas censé savoir comment on l'appelle.

— Qu'est-ce que t'as dit? demande-t-il.

— Rien, balbutie Aubépine.

Les deux mères échangent un regard.

— Tu as dit Grrripette, je t'ai entendue.

— C'est un peu comme grand-père, intervient Sumac. Ou G.-P.

— Pas du tout. Un grrripette, c'est un vieux grrrincheux.

Il sort du mess sans rien ajouter. *Et personne ne lui demande de choisir une tâche*, se dit Sumac. *De toute évidence, il va se comporter en roi et tous les autres seront ses serviteurs.*

Les parents ne font aucun commentaire.

Une minute plus tard, Papadum pige la tâche *Classer la paperasserie*, mais il dit que ça l'ennuie. Alors, il troque sa tâche contre celle de Papaye : *Étendre la lessive sur la corde à linge.*

Mamandine annonce qu'elle va garder *Arracher les mauvaises herbes dans le potager.* (Pour elle, c'est davantage un plaisir qu'un travail.)

Bruno choisit une carte verte (ce qui veut dire qu'elle est facile) et Sumac la lit pour elle : *Remplir les mangeoires des oiseaux.*

Bruno hoche la tête d'un air important.

— Et pour Chêne?

— Ah…

Chêne n'est pas vraiment assez vieux pour se rendre très utile, mais comme Bruno insiste pour inclure son petit frère dans toutes leurs activités, Sumac lui tend le chapeau. Le bébé saisit une poignée de cartes. Sumac en retire une verte de ses doigts collants. C'est écrit : *Faire le ménage de sa chambre*, mais après y avoir réfléchi une seconde, elle dit : *Danser*, parce que c'est un de ses talents.

— Tu veux danser, Chênou? demande Bruno. Danser?

Il se trémousse dans sa chaise haute en poussant des cris stridents.

Sumac est la dernière à prendre une carte.

— *Nettoyer les toilettes,* lit-elle à voix haute, mortifiée. Toutes les quatre, sérieusement?

— On fait une course : tu commences par le grenier, moi par le sous-sol, propose Mamenthe, pleine de compassion. Nous verrons qui arrive la première à l'étage.

Mamandine rince les assiettes d'une main et les dépose dans le lave-vaisselle de l'autre.

— Et puis, écoutez, les enfants, nous devons nous montrer plus responsables et ramasser ce qui traîne sur le plancher.

— Surtout dans les escaliers, ajoute Papadum. Je viens de lire que ce sont les foyers avec de jeunes enfants qui ont le plus haut taux de chutes, mais les membres de la famille les plus susceptibles d'être blessés ont plus de soixante-cinq ans, parce que leurs os sont plus cassants.

Sumac pense au croquant aux arachides, cette friandise qu'on casse en morceaux. Si Gripette doit aller à l'hôpital, lui rendra-t-on sa chambre? Elle se demande si les gens vivent longtemps après quatre-vingt-deux ans, puis elle se sent affreusement coupable et essaie d'oublier qu'elle s'est posé la question.

En passant devant la porte de son ancienne chambre, Sumac entend la voix de Mamandine à l'intérieur.

— C'était la chambre de Sumac, mais, si vous préférez une autre couleur, nous nous ferons un plaisir de la repeindre, Ian.

Vont-ils peinturer par-dessus la fresque que Papaye a faite pour elle quand elle avait cinq ans?

— Sumac. C'est la fille superrrbe?

Sumac grince des dents. Il pense à Catalpa. Il pourrait au moins dire quelque chose comme *c'est si généreux de sa part de me prêter sa jolie chambre.*

— Je trouve tous nos enfants superbes, répond Mamandine. Sumac est très précise, prévenante, responsable…

D'habitude, Sumac serait contente d'entendre ça, mais en ce moment, on dirait des qualités de chien et elle les échangerait toutes contre le mot *superbe.*

— C'est celle qui est un peu asiatique, alors? À moins que ce soit une Indienne comme l'autre femme au nom de plante?

Il parle de Mamenthe. Gripette fait donc partie de ces Blancs qui considèrent tous ceux dont la peau n'est pas exactement comme la leur comme des membres d'une espèce différente.

— Vous avez maintenant une famille multicolore, Ian, plaisante-t-elle au lieu de répondre à sa question.

— Comme un sac de smarrrties, dit-il, sans avoir l'air d'être un grand amateur. Et qui êtes-vous déjà par rrrapporrrt à mon fils?

Est-ce possible qu'il l'ait oublié? se demande Sumac. *Est-ce une bille perdue? Ou bien est-il seulement grossier?*

— Son amie depuis vingt ans, coparente de sept enfants, dit Mamandine.

Parler avec cet homme est un genre de course d'obstacles : le but, c'est de ne pas perdre son sang-froid. Eh bien, il a trouvé chaussure à son pied avec Mamandine.

Sumac jette un regard à sa pauvre chambre abandonnée. Deux valises semblent monter la garde à côté de la chaise. Gripette ne sait plus comment défaire ses bagages? C'est peut-être parce qu'il perd un peu la boule. Elle aperçoit son cube Rubik derrière lui, dans un coin. Elle voudrait aller le chercher, mais elle n'ose pas.

— Tu vois, *kunuk* veut dire sceau en ancien sumérien, dit Sumac à Isabella. Et quand il y a plus d'une chose, ils ajoutent juste *.ene* à la fin, alors ce sont des *kunuk.ene*.

Dans le mess, elles fabriquent des sceaux d'argile qu'elles feront cuire au four. Ils sont cylindriques comme ceux que les Mésopotamiens portaient autour de leurs poignets, et quand ils voulaient sceller rapidement quelque chose, ils n'avaient qu'à y rouler l'image.

— Redis-moi pourquoi tu essaies d'apprendre cette langue si tous ceux qui la parlaient sont morts? lui demande son amie, qui roule deux fois les manches de sa robe avant de prendre le couteau à steak.

Aujourd'hui, Isabella a les ongles vert émeraude.

— Pourquoi pas? répond Sumac en haussant les épaules. C'est un exercice cérébral. La prochaine fois que quelqu'un supposera que j'ai été adoptée en Chine et me demandera si j'apprends le mandarin, je lui clouerai le bec en répondant : *non, en fait j'apprends le sumérien.*

— Ah! Qu'est-ce que tu dessines? Des fées?

— C'est une scène de banquet, voyons, dit Sumac. Lui, c'est Papadum avec sa grosse barbe, tu vois? Et les autres, c'est nous, jusqu'à Chêne qui marche à quatre pattes. J'allais nous placer par ordre de grandeur en commençant par Mamandine, puis j'ai pensé qu'autrefois les gens étaient sans doute plus impressionnés par l'âge, parce qu'il fallait être passablement brillant ou chanceux pour vivre longtemps.

— Le mien sera couvert de fleurs, dit Isabella en entaillant l'argile.

Aubépine arrive en tâtonnant dans le mess, une longue chaussette sur les yeux. (Comme elle étudie les sens avec Mamandine, elle se prive d'un des cinq pendant quelque temps.) Elle retire la chaussette après s'être frappé la tête contre une armoire.

— Hé! Je veux en faire un, moi aussi.

Sumac réprime un soupir, coupe un morceau d'argile et le tend à sa sœur.

— Pourquoi Papaye ne vient-il pas nous aider? demande Isabella.

Il le fait d'habitude, très habilement, sans parler du fait que la Mésopotamie était censée être leur moment partagé… mais Sumac suppose que c'est relégué aux oubliettes.

— Il accompagne son père à un centre de neurologie gériatrique, grommelle-t-elle.

— Qu'est-ce que c'est?

— Un endroit où on teste les personnes âgées, comme on teste les vieilles voitures.

— Je parie qu'on va lui diagnostiquer une grinchopathie, plaisante Aubépine.

— Il continue de parler comme si Papadum venait juste d'arriver d'Inde alors qu'il vit ici depuis l'âge de onze ans. Et il est impoli à propos de la nourriture. Ce matin, il a examiné la salade que Papadum était en train de préparer comme s'il cherchait des asticots, raconte Sumac. Puis il a dit *c'est pas ma tasse de thé*.

— Il y avait des trucs bizarres dans la salade?

— Eh bien, du fromage de chèvre, des betteraves, de la roquette, répond Sumac. Et un peu de freekeh.

Isabella fait la grimace.

— Du freekeh? C'est quoi, ce machin?

— Une super céréale, avec un petit goût de noisette.

Isabella fait semblant d'avoir un haut-le-cœur et dit :

— Je me pose une question : ses sourcils vont-ils repousser un jour?

Sumac hausse les épaules.

— Ça m'étonnerait. Nos cellules se reproduisent moins vite quand on est vieux.

Aubépine s'est coupé un morceau d'argile beaucoup plus épais et son cylindre ressemble à une boîte de fèves au lard. Le rat l'observe depuis la poche de son pyjama.

— Ardoise, le réprimande Sumac, est-ce toi qui a fait tous ces trous et ces égratignures?

— C'est mon chef-d'œuvre, dit Aubépine.

— Et qu'est-ce que c'est censé représenter? demande Isabella qui se penche tellement que ses cheveux le frôlent.

— C'est de l'art abstrait, comme celui de Jackson Pollock, répond Aubépine avec suffisance.

Quand elle ne veut pas se donner la peine de s'appliquer, elle mentionne toujours Jackson Pollock : il était connu pour étendre ses toiles sur le sol et les éclabousser de peinture. Et elle s'en tire comme ça, parce que quand on dit des mots comme *art véritable* à la Cameloterie, Papaye répond que *véritable ou non, c'est quand même une aventure.*

— Super, ton idée, Sumac, ajoute Aubépine. Je vais le laisser m'aider.

Elle installe Ardoise sur la table et presse une de ses petites pattes sur l'argile.

— Enlève-le! crie Isabella, qui recule en frissonnant.

Aubépine regarde Sumac, l'air de dire : *ta copine est vraiment pathétique.*

Sumac fronce les sourcils. Isabella n'est peut-être pas très courageuse, mais au moins elle ne fait pas de bruits de pet en claquant ses aisselles comme le garçon qu'Aubépine ne cesse d'amener à la maison.

Elle continue de travailler aux personnages de son banquet, mais elle ne fait qu'empirer les choses. Les arts visuels ne sont pas sa force. Et *grrr*, les mots LES LOTEAU devraient être écrits à l'envers, comme dans un miroir, pour qu'ils sortent à l'endroit quand elle se servira du sceau! On dirait qu'elle ne parvient pas à se concentrer, aujourd'hui. Elle efface les lettres avec son couteau et recommence à les écrire.

Sapin entre maintenant, pieds nus, et flanque sur le comptoir un brochet mouillé long comme son bras.

— *Hola*, Sapin, dit Isabella en agitant un doigt.

Il hoche à peine la tête et prend son canif pour éviscérer le poisson.

— Sérieusement, tu viens juste de le pêcher? demande Isabella, en émoi.

Il fait signe que oui.

— Les matins nuageux sont idéals parce que les poissons ne vont pas au fond de l'eau pour éviter le soleil.

Sumac soupçonne sa meilleure amie d'avoir le *béguin* pour Sapin, mais elle ne lui a jamais posé la question, parce qu'elle ne veut pas le savoir.

— Hé! J'ai entendu dire que tu es un protecteur de l'environnement, cet été. Est-ce aussi important que ça en a l'air?

— Il fait du paillage, c'est à peu près tout, marmonne Sumac.

— Le paillage est crucial, affirme Sapin.

Isabella met sa tête sur le comptoir et regarde le poisson dans les yeux pendant que Sapin le farcit avec des tranches de pommes qui ne cessent de glisser.

— Complètement affreux, dit-elle.

— Selon les critères du brochet, tu es laide, toi aussi, réplique-t-il.

Sous l'insulte, elle pousse un petit cri étranglé.

— Le nez plat, une petite bouche, pas de taches ni d'écailles brillantes…

Isabella s'éloigne d'une façon théâtrale et examine les petits sachets de plastique apposés sur le frigo à l'aide d'aimants.

Sapin, 22 juin… Diamant, 13 juillet… Sapin, 13 juillet…, déchiffre-t-elle.

— C'est sa collection de tiques, explique Aubépine en enfonçant les ongles de ses pouces dans l'argile.

Sapin s'approche du réfrigérateur et pointe un doigt taché de sang de poisson vers le petit insecte brunâtre dans un sachet.

— Tous ceux qui nous ont piqués, moi et mon chien, cet été.

— *Mon chien* et moi, le corrige Sumac.

Il ignore sa sœur.

— Je les arrache avec une pince à épiler, explique-t-il à Isabella, et je les garde pour les montrer au docteur au cas où je développerais des symptômes comme ceux de la maladie de Lyme, par exemple, ou de l'encéphalite, ce genre de chose.

— Je n'ai jamais rien entendu d'aussi dégoûtant, s'exclame Isabella, émerveillée. Qui est la nouvelle fille avec le foulard? demande-t-elle en disposant par couples les marionnettes à doigt aimantées.

Aubépine flanque son sceau sur la plaque de cuisson.

— Frida quelque chose, une peintre qui a été littéralement harponnée par la tige de métal d'un autobus, répond-elle avec délectation.

— Je vais la mettre avec... Sherlock Holmes, dit Isabella. Et avec qui aimeriez-vous danser aujourd'hui, M. Mandela? Avec... Jane Austen, disons.

Sumac s'esclaffe.

Isabella s'approche d'elle pour examiner son cylindre.

— Tu ne devrais pas ajouter ton grand-père au banquet? Comme ça, il ne se sentira pas mis à l'écart.

Sapin ne dit rien. Aubépine non plus, pour une fois.
— Il n'y a plus de place, marmonne Sumac.

CHAPITRE 6

LE CHIEN-GUIDE

Pendant le souper dans l'arrière-cour, les Loteau qui ont fait de la plongée sous-marine sur épave ne parlent que du *Sligo*. Sapin boude : il n'a pas pu participer parce que l'épave était à vingt et un mètres de profondeur et qu'il n'a pas encore son certificat PADI junior.

— C'est une goélette à trois mâts datant de 1860, raconte Sic au grand-père. Sa coque est presque intacte. On a vu un poêle à bois et son gouvernail!

Le vieil homme ne répond pas. Serait-il un peu sourd? Sumac se dit que quand on atteint quatre-vingt-deux ans, des parties de nous doivent être usées.

— C'était profondément mystérieux, ajoute Catalpa. À part les plongeurs idiots qui grouillaient tout autour de l'épave et prenaient des égoportraits.

Ce soir, elle a les yeux si maquillés qu'elle paraît meurtrie.

— *Profondément*, répète Aubépine en ricanant. Cette épave au fond du lac était *profondément* mystérieuse. Vous pigez?

Catalpa ferme les yeux une seconde, un code qui signifie : *éloignez cette enfant de moi avant que je ne la gifle.*

— Vous pigez? répète Aubépine.

— Tout le monde a pigé, *beta*, murmure Papadum.

Il soulève avec de longues pinces les tranches de viande qui grésillent. (Il a bricolé le barbecue avec une brouette récupérée lors d'une des soirées de recyclage. C'est très commode pour rouler les cendres jusqu'au tas de compost.)

— Un morceau de poulet, papa? propose Papaye. Une saucisse? Une brochette d'halloumi? C'est du fromage.

Le vieil homme secoue la tête.

— Pour ceux que ça intéresse, j'ai pêché ce brochet dans le lac ce matin, dit Sapin.

Posé sur un plat, le poisson semble bouder, comme s'il était insulté que personne ne veuille de lui.

Gripette prend une gorgée de son verre, puis il s'étouffe.

— Comment vous appelez ce genrrre de pamplemousse?

— Du melon d'eau, répond Catalpa. Fraîchement pressé. Du jardin communautaire géré par Mamandine.

— J'aide à le gérer, rectifie Mamandine.

Le vieil homme repousse son verre.

Sumac croise le regard de Catalpa et toutes deux font une grimace. Il n'est pas obligé de le boire, mais c'est impoli de le rejeter comme si c'était une boisson toxique.

Les cubes d'halloumi grillé sont brûlants, mais Sumac adore leur saveur salée. Bruno halète et mastique frénétiquement.

— *Pelinti*! s'écrie Sic.

— Qu'est-ce que ça veut dire? demande Sumac qui grignote son os de poulet.

Son frère est comme Humpty Dumpty dans *De l'autre côté du miroir* : il aime lancer de nouveaux mots.

— Ne l'encourage pas, dit Catalpa.

— Puisque tu poses la question, *pelinti* est un mot ghanéen. C'est quand on se sert de sa langue et qu'on promène la nourriture dans sa bouche ouverte pour ne pas se brûler.

Sic est très malin, songe Sumac; comparée à lui, elle semble presque normale.

— J'ai des photos du *Sligo*, reprend-il en direction du grand-père. Je dois en numériser à peu près cinq cents…

— *Après* le souper, claironnent en chœur plusieurs parents.

À contrecœur, Sic range son téléphone.

Gripette a finalement accepté un bifteck et quelques légumes.

— Il y avait un trésor sur le *Sligo?* demande Sapin d'un air morose.

— Juste du calcaire pour construire des routes, répond Papadum. Le bateau a sombré pendant les derniers mois de la Première Guerre mondiale.

— Vous y étiez, grand-mère? s'exclame soudain Aubépine.

Tout le monde la regarde, estomaqué. *Grand-mère?*

— Racontez-nous la vie dans l'ancien temps, insiste-t-elle. S'il vous plaît!

— *Dingo*, chuchote Sapin à Sumac qui roule sa langue et tire sur ses paupières inférieures pour lui montrer la bordure rouge.

Sumac comprend : Aubépine adopte ce ton quand elle cite. Les citations doivent venir de la vidéo sur la démence qu'elle a regardée. Habituellement, Aubépine a l'air de faire la fofolle au lieu de prêter attention. Mais des choses restent collées dans sa mémoire comme de la gomme à mâcher sur ses chaussures.

— En fait, pour avoir participé à la Première Guerre, il faudrait qu'il ait à peu près cent vingt ans, lui chuchote Sumac.

— En fait, toi, tu as plus l'air d'avoir cinquante ans que neuf, lui dit Sapin.

— Restons polis et mangeons, coupe Mamandine. Comment allaient tes chiens-guides ce matin, Catalpa?

— Ils sont *tellement* brillants. Par exemple, quand on leur ordonne d'avancer, mais qu'ils perçoivent un danger, ils doivent refuser parce que leur travail c'est de savoir ce qui convient le mieux à leur humain.

— Oh! dit Mamenthe. Comme des parents.

Le grand-père ne semble pas trouver ça amusant. Il se met à tousser d'une grosse toux grasse, comme Gollum. Sumac remarque qu'il a empilé toutes les tranches d'aubergine grillées sur un côté de son assiette, comme si elles étaient sales.

Chêne coince un épi de maïs entier dans sa bouche.

— Tu en as pris plus que tu ne peux en mastiquer, babou, lui dit Mamenthe en le retirant.

— Na, répond Chêne.

— Puis-je sortir de table? demande Aubépine, déjà sur la pelouse.

— Tu es déjà sortie, on dirait, constate Papadum.

— Tu n'as mangé que… qu'un demi-pilon? dit Mamenthe. Tu vas dépérir.

Parfois, quand on regarde les os d'Aubépine et les rondeurs de Mamenthe, il est presque impossible de croire que l'une des deux est sortie du corps de l'autre.

— Et une asperge et la moitié d'une *énorme* tranche de courgette, crie Aubépine, qui disparaît dans la brousse en caressant Topaze.

Le dessert est une concoction appelée un « cranachan ».

— Tu aimes le gruau, les framboises et la crème, rappelle Papadum à Bruno.

— Pas tout *écrapouti*, rétorque-t-elle, dégoûtée.

Puis elle se glisse du banc et se dirige vers la grosse caisse de carton dans laquelle on a livré leur dernier ordinateur et qu'elle a peinte en rouge pour une raison quelconque.

— Et voici la version pour adultes, dit Papaye en poussant un bol bien rempli vers son père. Tu te rappelles, maman ajoutait autant de scotch que de crème.

Aucun commentaire. Mais Gripette mange, au moins.

Le soir tombe : les lucioles font clignoter leurs petites lampes dans les buissons. Plus loin, dans la brousse, Aubépine et Bruno s'affrontent en duel avec des sabres lasers.

Sic rote en repoussant son bol vide.

— Pardon. *Shemomedjamo!*

Cette fois, Sumac s'abstient de lui demander ce que ça veut dire. Elle préfère recueillir avec sa cuillère sa dernière trace de crème rose.

— Devant votre silence interloqué, je devine que vous vous demandez tous…

— Si tu finiras un jour par te taire, Monsieur Je-sais-tout, rétorque Catalpa.

— Ah! Tu me flattes, sœurette. Je ne dirais pas que je sais *tout*, juste la plupart des choses. On a postulé que, depuis 1800, une personne ne peut embrasser tout le savoir de l'humanité. Non, je préfère me qualifier simplement de prodige, de génie, si vous voulez, de…

Sapin se penche à travers la table et presse ses deux mains sur la bouche de son frère, si fort que Sic en a les yeux exorbités.

Gripette les regarde en plissant les yeux comme un tireur d'élite regarde dans la mire de sa carabine.

Sumac réalise que toutes ces prises de bec et ces chamailleries étaient amusantes avant l'arrivée du vieil homme. C'est désormais gênant, parce qu'il regarde et juge. Et qu'est-ce qui lui en donne le droit? Elle remarque qu'il a du beurre sur sa chemise et qu'il extrait quelque chose entre ses dents avec un ongle strié. Pourquoi les Loteau sont-ils censés améliorer leurs manières à table pour ce type?

Elle se sent soudain malheureuse. Il n'y a qu'une façon de se remonter le moral : aller s'allonger dans son lit avec une grosse pile de livres…

Mais son lit n'est plus son lit, se rappelle-t-elle en allant porter son assiette dans le mess, et sa chambre n'est plus sa chambre. Elle met son assiette dans l'évier, si brusquement qu'elle craint de l'avoir craquée.

Elle monte péniblement les trois volées de marches. Tout est morne dans la pièce que Sumac considère toujours comme la mi-chambre : la lumière qui s'infiltre obliquement, le plafond qui penche terriblement (on dirait une boîte qu'un géant aurait écrasée sous son pied), la façon dont le lit est placé et le matelas qui est bien trop dur. Les murs sont d'une teinte indéfinissable et triste. Sumac a pris ces rideaux bleu pâle dans une malle de tissus que Papaye a rapportés du monde entier parce que c'est ce qui se rapproche le plus du ciel de sa murale, mais elle les déteste maintenant. Cet été, rien n'est comme ça devrait être.

*

C'est samedi et ils ne sont que neuf à aller à la plage parce que Catalpa est occupée comme les ados le sont habituellement et que Papadum accompagne Gripette chez le dentiste.

— Aubépine, dit Mamandine en sortant dans la lumière du soleil, une chose m'intrigue : pourquoi as-tu mis tes patins à roulettes pour aller à la plage à vélo?

— Je n'ai rien d'autre.

Mamandine lève brièvement les yeux vers le ciel.

— Tu as beaucoup d'autres chaussures.

— Ouais, mais où?

— On y va? demande Sapin.

D'un geste gracieux, il lance un ballon à travers le terrain de basketball.

— As-tu regardé dans les « rejets perdus et reprouvés »? demande Sumac à Aubépine.

C'est la gigantesque baignoire dans le débarras qu'on avait coutume d'appeler « objets perdus et retrouvés », mais la version de Bruno a été adoptée.

— J'oublie toujours d'aller voir, avoue Aubépine.

— Dépêche-toi! la presse Mamandine.

— Allez, vous autres, on bouge! dit Sapin. Sumac!

Il lui lance le ballon si fort qu'elle le reçoit dans les côtes et en perd le souffle. Elle se demande si elle va se plaindre ou jouer. Elle fronce les sourcils et vise le panier...

Mais le ballon rebondit contre la façade, bien trop haut, et vole vers le bungalow des Zhao au moment précis où leur grosse voiture brune recule dans l'allée.

Mme Zhao klaxonne bruyamment comme si Sumac avait lancé une grenade sous les roues de la voiture.

— Désolée! hurle Sumac.

Elle ne sait pas si elle doit courir pour aller récupérer le ballon : si elle le fait, la femme pourrait bien l'écraser. Elle s'essuie le front et esquisse un sourire contraint.

— Ne te sens pas visée. Cette sorcière n'aime personne, dit Sapin tandis que la voiture que Bruno appelle « autocaca » disparaît dans la rue.

— Pas même M. Zhao? demande Sumac.

— Surtout pas lui.

— Difficile de le savoir, parce que nous n'avons jamais entendu M. Zhao parler en anglais et qu'on a souvent l'impression que les gens sont fâchés quand ils parlent dans une langue étrangère, fait remarquer Mamenthe.

— Mais rappelez-vous le jour de Noël où je suis allé chez eux avec une assiette de biscuits aux quatre chocolats de Papadum, tout frais sortis du four, dit Papaye en descendant rapidement l'escalier. Mme Zhao a déclaré qu'ils *ne mangeaient pas de biscuits*.

Il tripote le cadenas de son vélo à la recherche de la combinaison.

— Est-ce VALVE? RAYON? Je pensais que je me souviendrais plus facilement d'un mot que d'une série de chiffres.

Mamenthe le repousse en souriant.

— Tu connais trop de mots. C'est JANTE.

Bruno descend les marches une à la fois, une grosse pelle et un seau de plastique dans les bras.

— Devine qui va s'asseoir dans le siège pour enfant aujourd'hui? demande Papaye en lui tendant les bras.

Bruno secoue sa tête rasée et recule.

— Moi conduis mon vélo rouge.

— Oui, mais le problème, *tsi't-ha*, c'est que nous allons rouler très, très longtemps sur la promenade jusqu'à la plage et…

— Conduis vélo rouge sans les roulettes! proteste Bruno.

— Trésor…

Aubépine sort de la maison avec une sandale et une botte de caoutchouc. (Toutes deux du pied gauche, constate Sumac.)

— C'est ma botte! rugit Sapin.

— Elle ne va pas mettre ta botte, le rassure Mamandine. D'accord, Aubépine, garde tes patins, mais donne-moi le machin pour que j'enlève au moins les roulettes.

Aubépine semble perdue.

— Le machin n'est pas à sa place sur le crochet sur la porte? demande Mamenthe.

— Il y *était*, répond Aubépine.

Mamenthe pose un instant sa tête sur l'épaule osseuse de Mamandine.

— Épouse-moi et emmène-moi loin de tout ceci, marmonne-t-elle.

Mamandine lui caresse les cheveux.

— Aubépine portera ses patins à roulettes et si le sable bloque les roues, elle aura au moins appris quelque chose d'utile.

Les Loteau mettent toujours tellement de temps à quitter la maison que, vraiment, Sumac aurait dû réclamer du temps à l'ordinateur. Comme ça, elle aurait pu remonter dans sa chambre et étudier les coutumes mésopotamiennes pendant vingt minutes.

Mais une heure plus tard, alors que debout dans le lac Ontario, de l'eau jusqu'à la taille, elle lit *Tintin au Tibet*, elle doit admettre qu'on est bien là. Toute une journée devant elle sans le nouveau grand-père…

Revenue sur la plage, Sumac aperçoit Papaye qui essaie de faire un somme sous un tipi de fortune (des sarongs posés sur du bois d'épave), un magazine, *The New Yorker*, sur le visage. Chêne enterre les énormes pieds de Papaye dans le sable et rit à gorge déployée quand les orteils réapparaissent. Comme Bruno refuse de porter son chapeau, elle a la tête enduite d'écran solaire, toute luisante sauf aux endroits où du sable adhère à son duvet.

Mamenthe entraîne Sumac dans un jeu écologique compliqué où Bruno joue le rôle de la moule zébrée envahissante, Sapin celui de l'aigle chauve, une espèce rare, et Sumac, celui de l'esturgeon indigène qu'il essaie d'attraper. (Aubépine était l'esturgeon, mais elle flotte maintenant sur le dos, loin dans le lac.)

— Et Chêne, lui quoi? veut savoir Bruno.

— Ah...

Sumac regarde son petit frère sur le sable. Il rampe de plus en plus vite.

— L'eau, suggère Mamenthe.

— Toi, l'eau, Chênou-chou. Toi, les vagues!

Bruno mime les vagues pour lui. Il agite son poing couvert de sable. Sapin roule sur lui-même pour prendre une banane.

— Oh! Je connais une blague, se rappelle Sumac.

Sapin gémit.

— Il fait peut-être un peu trop chaud pour les blagues, murmure Mamenthe.

— Non, je dois la raconter maintenant parce qu'elle concerne les aigles chauves, dit Sumac. Quel est le seul oiseau qui doit porter une perruque?

— Laisse tomber, dit Sapin en secouant la tête, dégoûté. Si tu n'avais pas mentionné l'aigle chauve, ç'aurait été presque drôle.

Sumac se renfrogne.

Son livre sous le bras, elle va rejoindre Papaye à l'ombre du tipi en bois d'épave et s'affale à côté de lui. Le rythme de sa respiration lui indique qu'il ne dort pas vraiment. Repensant à la population de Faro, elle trouve un crayon dans le sac de plage et effectue une longue division dans la marge du magazine tombé. (Elle pourrait utiliser l'application calculatrice sur le téléphone d'un parent, mais elle a besoin d'exercice mental.)

— Savais-tu que, pour chaque voisin que ton père saluait à Faro, il y a à Toronto... sept mille deux cent quatre-vingt-neuf personnes.

— Euh, marmonne Papaye, qu'est-ce qui t'a amenée à...

— Rien d'étonnant à ce qu'il soit un peu excentrique. Un bon point, Sumac, crie Mamenthe derrière une partition.

Quel point?

— Quand on pense que, sans crier gare, il a dû laisser tout ce qu'il connaît à cinq mille kilomètres derrière lui, continue-t-elle.

Sumac se dit que c'est encore pire que de devoir déménager de chambre. Soudain, elle a tellement pitié de son grand-père qu'elle en a mal un peu au cœur.

— Qui? demande Aubépine, qui fait le poirier à côté de Papaye.

— Mon père, répond ce dernier.

— Combien de temps encore va-t-il rester?

— Tu n'écoutes jamais? soupire Sumac.

— L'écoute n'est pas un de ses points forts, lui rappelle Papaye. On va continuer une semaine ou deux et voir comment on s'en tire, explique-t-il à Aubépine.

— J'ai d'autres points forts, dit-elle, un peu essoufflée en levant une jambe dans les airs, puis la deuxième. J'en ai au moins quarante!

Elle se laisse tomber de côté sur Papaye.

Il pousse un cri puis il fait semblant de mourir. Le couple près d'eux les regarde, l'air médusé. Les filles peuvent alors pratiquer sur lui leurs techniques de RCR et de défibrillation (des galets servent d'électrodes), ce qui suscite toujours des éclats de rire.

— Nous pensions que tu pourrais servir de guide à ton grand-père, dit Mamandine qui arrive avec une bouteille d'eau.

C'est Sumac qu'elle regarde.

Bouche bée, celle-ci lui rend son regard. Un *guide?* Comme les chiens de Catalpa? *Nous pensions?* Lequel des parents était assez bête pour suggérer une telle chose? N'est-ce pas déjà bien suffisant qu'elle ait dû donner sa chambre à l'intrus qui gâche leur été?

— Seulement pour quelque temps, intervient Mamenthe. Lui montrer les alentours, lui expliquer comment on fait les choses…

Sumac serre les lèvres, parce que si elle dit même la moitié de ce qu'elle pense, les grands yeux bruns de Mamenthe exprimeront beaucoup de déception.

Elle jette un regard oblique vers la plage, trace, avec son pied, une longue ligne dans le sable. Elle envisage d'écrire un message : *SOS!*

Sic revient vers la grève à la nage; son crawl fait voler des gerbes d'eau.

— Alors, comment tu le trouves?

Il sait de qui elle parle.

— Mmm, un peu atrrrabilairrre, pas vrrai? dit-il avec son meilleur accent écossais.

— Qu'est-ce que c'est, atrabilaire?

— Maussade, répond-il avec une moue boudeuse. Mais tu dois te rappeler que ce vénérable type est né en 1930. Il est, comment dire, aussi vieux que la télévision, plus vieux que le stylo à bille.

Le stylo à bille? Sumac n'en revient pas.

— Laisse-lui un peu de temps pour apprendre nos manières étrangères, suggère Sic. Il va finir par céder sous mon barrage de charme, comme tout le monde.

— Qu'est-ce que tu veux dire par barrage de...?

— Un genre de bombardement. Un assaut. Une attaque de charme ininterrompue.

— Ce n'est pas tout le monde qui cède à ton barrage de charme, lui fait remarquer Sumac. Ces trois filles de Vancouver, au camp Jagged Falls...

— Elles faisaient semblant, affirme-t-il. C'était, hum, c'était quelque chose entre nous.

Quelque chose comme « Je ne peux pas supporter Sic », pensa Sumac.

Elle retourne à la couverture pour prendre Chêne parce que, d'habitude, il lui rend sa bonne humeur.

— On éclabousse, Chênou?

Elle le porte là où Sapin fait des ricochets dans l'eau et l'assoit dans l'écume.

Sapin cherche dans sa pile les galets plats les plus triangulaires. (Sumac connaît la théorie, mais elle est incapable de lancer et elle n'a absolument pas envie de demander à son frère de lui donner un cours.) Il en lance un : il ricoche une fois, deux fois, puis s'enfonce dans l'eau.

— Quel est ton record? lui demande-t-elle.

— Toujours huit.

Il lance un caillou qui tombe en faisant un grand plouf et Chêne éclate de rire. Il applaudit avec ses bras potelés plutôt qu'avec ses mains.

— À dix-huit ans, je pourrais bien déménager dans les îles, dit Sapin en indiquant d'un signe de tête le rivage vert de l'autre côté du lac.

Sumac reste sans voix à l'idée qu'un de ses frères ou sœurs quitte un jour la maison.

— Autrefois, c'était une péninsule reliée à Toronto, ajoute-t-il.

— Quand? À l'époque des hommes des cavernes?

— Non, jusqu'en 1878, dit-il en indiquant l'ouest, là où la plage finit abruptement. Une nuit, les îles se sont détachées pendant une tempête.

Sumac essaie d'imaginer la scène : les vagues qui montent et se fracassent, le sol qui disparaît et, quand on se réveille le lendemain matin, on est séparé de la terre…

Elle prend Chêne dans ses bras, mais il proteste en geignant. Elle remet donc ses jambes grassouillettes dans l'eau.

— Les bélugas peuvent plonger jusqu'à sept cents mètres de profondeur, dit-elle à Sapin.

— Ah oui?

— Ils vivent dans des groupes instables. Ça veut dire que si on ne se plaît pas dans son groupe, on peut s'en éloigner à la nage et se joindre à un autre.

— On a tous connu des jours comme ça, répond Sapin, l'air sombre.

Bruno court maintenant jusqu'au bord de l'eau. Papaye et Aubépine courent derrière elle, parce qu'elle veut absolument flotter sur le dos sans son *gilso.* (C'est le nom qu'elle donne à son gilet de sauvetage.)

Ils sont tous là à la regarder. Bruno pousse son ventre si fort que l'eau du lac couvre son visage. Elle se met à cracher et se relève. Et recommence.

— Combien de secondes? demande-t-elle.

— Une, répond Sumac en arrondissant un peu.

Sapin lance un caillou dangereusement près de sa petite sœur.

— Combien maintenant?

Bruno se relève et crache de l'eau.

— Ah... Une seconde et demie, dit Papaye. Le ventre bien haut, comme un gâteau qui lève!

— Combien? redemande Bruno qui crachote en arrachant de sa joue quelque chose de vert.

— Je... Désolé, fillette, je ne comptais pas, cette fois.

— Toi compte! Regarde, Chênou.

Elle se relaisse tomber sur le dos.

Sumac a les bras fatigués. Elle frotte encore une fois le cou couvert de sable de Chêne puis le tend à Papaye qui gratte le tatouage sur sa nuque un peu brûlée par le soleil.

— Toi comptes pas! rugit Bruno en se relevant.

L'eau dans ses yeux pourrait bien être un lac de larmes.

— Moi flotte des heures et des heures et vous...

— Désolés, claironnent-ils en chœur.

Elle se laisse tomber sur le dos dans le lac, raide de colère.

— Un! crient trois voix enthousiastes. Deux...

Mais Bruno a déjà coulé. Elle se relève.

— Combien cette fois?

— Une seconde et trois-quarts, répond Sumac.

Sa petite sœur est bien courageuse, mais elle devra attendre encore quelques années avant de savoir nager.

— Ton père va rester jusqu'à ce que sa dimension soit guérie? demande soudain Aubépine.

Cette fois, Papaye ne corrige pas l'erreur.

— S'il s'avère que c'est ce dont il souffre, ça ne… guérit pas vraiment.

— Tu devrais le canceller, dit Aubépine.

Il lui lance un regard oblique.

— Est-ce un genre de menace? Je devrais l'éliminer, comme ferait la mafia?

— Non! Cancelle-le, je veux dire.

Il pouffe de rire.

— Le mot, c'est *conseiller*. C'était ça, son travail, abrutie, beugle Sapin. Parler aux gens pour qu'ils se sentent mieux.

— *Canceller* est un anglicisme qui signifie annuler, faire cesser quelque chose, explique Sumac à Aubépine.

— Je ne vois pas de différence, réplique celle-ci en haussant les épaules. Fais-le parler de ses sentiments jusqu'à ce qu'il cesse d'oublier des trucs dans la friteuse.

Sumac pousse un cri étranglé et pointe le doigt vers Bruno. Les yeux fermés pour les protéger du soleil, leur petite de quatre ans flotte à la surface de l'eau : une étoile de mer pâle et chauve.

Bruno cligne des yeux.

— Combien de secondes?

Personne ne répond.

— Vous encore en train de parler! gronde-t-elle, puis elle se relève dans un grand bruit d'éclaboussure.

Sumac réagit tout de suite.

— Non, tu as flotté si longtemps qu'on a perdu le compte des secondes!

— C'est vrai, approuve Aubépine. On était à court de chiffres.

Bruno sourit comme un brochet.

— Elle a réussi! crie Papaye à Mamenthe allongée dans le sable. Elle peut flotter!

Il soulève Chêne dans les airs et fait courir ses doigts sur lui comme s'il était un saxophone.

— Un million de secondes? veut savoir Bruno.

— Une infinité, répond Aubépine.

En vérité, toutes deux exagèrent, mais, pour une fois, Sumac reste muette.

Après le repas, elle attend dans la galerie des miroirs, devant la chambre qui a été la sienne pendant neuf ans et des poussières. Prête, comme un chien-guide, même si elle n'a pas vraiment dit oui à Mamandine, elle n'a tout simplement pas trouvé le courage de dire non.

Quand les chiens aident quelqu'un, lui a dit Catalpa, ils doivent porter un harnais sur lequel sont écrits les mots NE ME CARESSEZ PAS, JE TRAVAILLE.

Elle remarque que quelqu'un a ajouté le nom de Gripette au bas du tableau « Où nous sommes ». À côté du nom, dans l'espace vide pour indiquer où il se trouve, elle est tentée d'écrire : *Pas à sa place* ou *Là où on ne veut pas de lui.*

Elle regarde plutôt la dernière citation édifiante (écrite avec le rouge à lèvres de Mamenthe, on dirait) sur le vieux miroir au cadre doré.

Nul homme n'est une île. – John Donne

Homme signifie-t-il tout le monde, comme dans les vieux livres? Sumac pense à la péninsule qui un matin, à son réveil, a découvert qu'elle était une île. Elle voudrait que son grand-père, qui n'est plus endormi, habite dans une île, quelque part loin d'ici.

— Sumac? dit Mamandine en lui faisant signe d'approcher.

Sumac arbore une expression maussade : elle ne peut s'en empêcher.

Mamandine semble d'encore plus mauvais poil, ce qui étonne Sumac. Ses yeux étincellent et elle se mord la lèvre comme un lapin en colère. Sumac se retient d'éclater de rire.

Elle s'avance donc et entre dans la pièce.

— Bonjour, dit-elle en se raclant la gorge.

Horreur : ce n'est plus sa chambre, mais Gripette n'en a pas fait la sienne non plus. Il y a une odeur aigrelette, mais Sumac n'a pas l'impression qu'elle vient des cigarettes. Gripette n'a pas encore défait ses bagages, il n'a ouvert qu'une valise remplie de chemises et de pantalons chiffonnés. Le beau ciel bleu paraît maintenant un peu minable et il y a une petite fissure que Sumac n'avait jamais remarquée sur un des nuages.

— Qu'aimeriez-vous savoir à notre sujet? demande-t-elle.

Gripette hausse les épaules et regarde par la fenêtre le côté du bungalow des Zhao.

Mamandine s'est déjà éclipsée.

— Je pourrais vous questionner sur nos noms, peut-être?

— Quoi?

— Vous demander comment nous nous appelons, comme dans un jeu-questionnaire.

— Je n'ai pas de prrroblème.

Veut-il dire qu'il connaît tous les noms, ou qu'il se fiche complètement des noms de ses petits-enfants?

Un cube rouge passe devant la fenêtre : c'est Bruno qui fait le tour de la maison dans son camion de pompier. Elle est dans cette boîte depuis qu'elle a fini de la peindre cet après-midi. Impossible de l'en déloger. Les ficelles laissent des marques sur ses épaules. Sumac l'a aidée à percer des trous pour les roues (des assiettes de papier), mais Bruno les a attachées toute seule aux côtés de la caisse avec des agrafes et a couvert les phares (deux autres assiettes) avec du papier aluminium pour les faire briller. Quand elle n'est pas en colère, Bruno est plutôt habile. Le camion de pompier a été un projet de seulement deux colères et demie, ce qui n'est pas si mal. Pour son quatrième anniversaire, mamie (la mère jamaïcaine de Mamandine) a donné à Bruno une trousse pour se confectionner un coffre au trésor de pirate même si c'était écrit pour huit ans et plus sur la boîte. Ce projet a suscité sept colères.

Sumac fait un pas vers la porte.

— Si vous n'avez pas de questions…

— Lequel d'entrrre vous oublie de tirrrer la chasse d'eau?

Elle cligne les yeux.

— Quand c'est brun?

Il la regarde fixement comme si elle avait dit quelque chose de grossier.

Elle se sent rougir et regarde le plancher nu, là où était avant son joli tapis si doux.

— C'est ce que dit l'affiche sur le réservoir des toilettes. *Quand c'est brun, bon débarras*, psalmodie-t-elle d'une toute petite voix, *mais si c'est jaune, ça reste là*.

Un silence terrible.

— Comme ça, on peut économiser environ six litres d'eau chaque fois.

Le vieil homme tend une main vers le sud.

— Vous vivez au bord d'un lac tellement grrrand qu'on ne voit pas de l'autre côté.

— Oui, mais…

Sumac aimerait qu'un des ados ou des parents soit là pour donner une meilleure explication.

— Vous voyez, si toute l'eau de la planète était dans un verre…

Elle jette un regard autour d'elle.

— Avez-vous un verre d'eau?

— Pourquoi j'en aurrrais un?

— Pour boire. La nuit.

— Je n'aime pas l'eau. Ni le jour ni la nuit.

Sumac reste interloquée.

— Bon, très bien, imagique… imaginez, se corrige-t-elle. Quatre-vingt-dix-sept pour cent de l'eau dans le verre serait salée, n'est-ce pas?

— Pourquoi rrremplirait-on un verrre avec de l'eau salée?

— C'est une métaphore. Et presque tout le reste, trois pour cent de toute l'eau du monde sont gelés ou pollués. Il ne reste donc plus que zéro virgule dix-huit pour cent d'eau potable, et nous devons la partager avec tous les autres être vivants.

— J'ai donc rrraison de ne pas y toucher, pas vrrrai?

Est-ce une blague? Mais Gripette ne sourit pas.

Sumac cherche désespérément un autre sujet de conversation.

— Aimeriez-vous... visiter peut-être tous les autres endroits que vous n'avez pas encore vus à la Cameloterie?

— Que je n'ai pas vu où?

— Dans cette maison.

— Non, merrrci.

Le ton n'est pas poli, même s'il a dit merci.

En haut, dans le théâtre, on dirait que Bruno regarde *La Reine des neiges* que Sumac fait semblant de ne plus apprécier. Elle se demande si elle est restée assez longtemps dans cette chambre nue et nauséabonde et si elle peut en sortir sans qu'un parent lui demande pourquoi elle n'est pas un chien-guide.

— À quel âge as-tu atterrri ici? lui demande soudain Gripette.

— Ah! J'avais deux heures, répond-elle, décontenancée.

— Tu n'es pas une de ces petites débarrrquées d'un orrrphelinat chinois?

— Non, pas du tout.

Mais comme elle présume qu'il essaie de causer avec elle, elle poursuit.

— Les parents m'ont amenée directement de l'hôpital en taxi.

Sic affirme toujours que, quand les Loteau se demandaient s'ils voulaient un cinquième bébé, il avait, à sept ans, été le vote décisif. Sic dit que puisque le numéro quatre (Aubépine) marchait à peine, il avait accepté d'avoir une autre petite sœur à condition que celle-ci le vénère et lui obéisse en tout temps. Sumac ne le vénère pas vraiment, mais elle l'adore.

— En passant, ma mère biologique est philippine, précise-t-elle pour que le vieil homme ne pense pas qu'elle l'ignore, et les ancêtres de mon père biologique viennent d'Allemagne.

Il plisse le front.

— Mes parents biologiques ne sont pas un couple. Et ils ne voulaient pas être parents.

— Et pourrrquoi?

— Aucune idée. Vouliez-vous être un père? demande Sumac en pensant à Papaye, l'affreux bébé des photos jaunies.

Gripette la regarde en clignant ses vieux yeux larmoyants.

— Pas parrrticulièrrrement, répond-il comme s'il se parlait à lui-même. Mais je suppose que ce genrrre de chose arrrive.

— Nenita vit à Ottawa, mais elle passe son temps à voyager pour son travail, continue Sumac qui essaie de penser à quelque chose d'autre à ajouter. Jensen habite au Manitoba, à une vingtaine d'heures de route d'ici.

Elle ne mentionne pas le fait qu'ils sont tous deux comptables, parce que ça paraît bizarre.

— Jamais rrrien entendu de pareil, murmure Gripette. Viennent-ils te voir parrrfois, ces, comment tu dis, ces bios je ne sais quoi?

— Oh! Oui.

Mais jamais en même temps. Elle pense que Nenita et Jensen ont dû régler le sort du bébé par courriel.

Gripette n'a mis qu'une chose sur le bureau qui avait coutume d'être celui de Sumac : un calendrier des *Fleurs sauvages du Yukon*. De petites fleurs violettes illustrent la page du mois de juillet. Il a rayé le dix-septième, le dix-huitième, le dix-neuvième et le vingtième jours. Ah! Sumac constate que ce sont les jours passés à Toronto.

Le premier jour de son séjour, a dit Mamenthe, mais un séjour, c'est quand on est à l'hôtel, en attendant de rentrer chez soi. Si on doit vraiment rester quelque part, *pour un certain temps, pour le temps présent*, on ne parle pas d'un séjour. Les prisonniers *purgent leur peine*. Et c'est à ça que les lignes tracées sur

les dates ressemblent : à celles qu'un prisonnier grave sur les murs de sa cellule.

Les yeux du vieil homme ont suivi le regard de Sumac sur le calendrier.

— Vous autrrres, les jeunes, allez tous êtrrre en vacances pendant des mois, je suppose.

— En quoi?

— Vos vacances scolairrres.

— Oh! Nous n'allons pas à l'école, dit Sumac.

— Hein? Jamais? s'exclame-t-il, horrifié. Vous rrrestez tout le temps à la maison?

Sumac hoche la tête.

— Nous apprenons surtout en faisant des choses. Demain, par exemple, nous allons à Buskerfest.

Papaye lui a demandé d'interviewer un artiste pour savoir comment il a acquis la maîtrise de son art, puis de réaliser une vidéo de cinq minutes. Elle sait exactement à qui elle va poser ses questions : à une femme impressionnante qu'elle a vue l'an dernier, capable de faire tourner en même temps sept cerceaux enflammés autour de ses bras et de ses jambes.

— Des artistes de rue, vous savez? Des gens qui jouent de la musique ou font d'autres choses et passent un chapeau?

— Dans mon temps, on disait mendiants.

Sumac fait une autre tentative.

— Papadum a dit que vous aimeriez peut-être faire une promenade avec nous, ce soir, pour voir les environs.

— J'ai déjà vu les magasins ce matin. Tout ça dégage une odeur de Tierrrs Monde.

— C'est juste parce qu'il fait si chaud et qu'on ramassait les ordures, dit Sumac, sur le point de perdre patience.

Gripette a fermé les yeux et il frotte son front flétri comme s'il lui faisait mal.

— Êtes-vous fatigué? Devez-vous vous coucher de bonne heure? Mamenthe a dit que vous faisiez peut-être la sieste l'après-midi, comme Chêne.

Les yeux, bleus comme de la glace, s'ouvrent.

— Comme quoi?

— Chêne, notre bébé.

— Je n'ai jamais fait la sieste de toute ma vie, jeune fille.

Sumac fait un dernier effort. S'en tenir au passé plutôt qu'au présent.

— Vous étiez vivant pendant la Seconde Guerre mondiale, n'est-ce pas? Comment c'était?

— Mêle-toi de tes oignons, fouinarde.

Sumac n'est pas obligée de rester là à se faire insulter. Elle sort donc de la chambre sans ajouter un mot.

CHAPITRE 7

COMPOS MENTIS

Le samedi matin, Sumac retrouve Mamandine assise, les jambes croisées, au fond de la brousse. C'est ce que les bouddhistes nomment *méditer*, tout comme ceux qui font du patin à roulettes disent *patiner*.) Topaze est blottie contre un de ses genoux.

— Tu as besoin de quelque chose, Sumac? demande-t-elle, les yeux toujours fermés, alors que Sumac est encore à environ trois mètres d'elle.

— Non, désolée, chuchote Sumac en reculant.

— Tout va bien, j'ai fini, dit Mamandine, qui se redresse d'un mouvement fluide et étire ses bras interminables au-dessus de sa tête.

Vexée, Topaze s'éloigne. Ne voulant pas interrompre la méditation pour rien, Sumac improvise.

— Deux questions, dit-elle.

Mamandine s'accroupit, puis se relève et se penche par en arrière. Sa voix semble donc venir d'en bas.

— La première?

— Comment nous vois-tu quand tu as les yeux fermés?

— Vous respirez tous différemment, répond Mamandine en riant. Aubépine est la plus facile à reconnaître parce qu'avec elle il y a toujours des effets sonores.

Pour illustrer son propos, elle se raidit et se trémousse sur place.

— Deuxième question, reprend Sumac à voix basse. Tu n'as pas voté oui, n'est-ce pas?

Mamandine ne fait pas semblant de ne pas comprendre. Elle hausse plutôt les épaules.

— Quatre parents… Je ne peux pas m'attendre à gagner plus de soixante-quinze pour cent du temps.

— Mauvais calcul, ronchonne Sumac.

Mamandine sourit. Elle tient maintenant un pied dans son dos, courbée en arrière comme l'arc médiéval sur lequel Sapin a travaillé tout l'été.

— D'ailleurs, je parie que Papadum a voté non, lui aussi. Cinquante pour cent, donc, dit Sumac.

Ce qu'elle essaie de dire, c'est que, maintenant qu'ils ont vu ce qu'était leur vie avec le vieil homme, pourraient-ils tenir un vrai consille afin que tous les Loteau décident s'il doit rester ou s'en aller?

— Alors, ce que je me demande, c'est si…

Mamandine lève une main pour la faire taire.

— Sumac. Nous ne votons pas vraiment. Nous faisons de notre mieux pour prendre les décisions ensemble, tous les quatre.

C'est ça, vous décidez sans consulter les enfants.

— Tu n'apprécies pas beaucoup le changement, pas vrai?

— Parfois oui, proteste Sumac qui essaie de trouver un exemple. C'est moi qui ai eu l'idée d'adopter Bruno et Chêne.

(Pour une fois, elle voulait être une grande sœur au lieu d'être toujours la benjamine.)

— J'avais oublié, répond Mamandine en souriant. Et tout a bien fonctionné, n'est-ce pas?

Mais c'était différent, parce que tous les Loteau savaient que ce serait agréable d'avoir plus d'enfants. Alors qu'un vieil homme qui n'ouvre jamais la bouche sauf pour rouspéter…

— Je vais prendre ma douche maintenant, dit Mamandine.

Sumac soupire.

— Je dois préparer mon sac pour le Buskerfest.

— Ah! Changement de programme : nous irons plutôt au samedi piétonnier de Kensington Market. Nous avons pensé qu'il y aurait un peu moins de monde et que Ian apprécierait peut-être l'atelier de cuir ou la boutique de conserves. De plus, les gens dansent le tango au son d'un orchestre.

Sumac serre les dents. Est-elle la moins hospitalière de la famille, celle qui a le plus mauvais caractère? Ou bien est-elle le canari dans la mine : la première à remarquer comment ce vieil homme détruit tout?

Cette journée a été un fiasco total. Gripette n'a pas cessé de se plaindre de l'odeur d'encens et de dire que tout le quartier était *complètement hippy*. À leur gelateria préférée, il n'a même pas voulu goûter à la moitié d'une boule de crème glacée parce qu'il n'y avait pas de *parfums ordinaires*. Sumac aurait préféré qu'il reste tout seul à la maison, mais Sic lui a dit que ce ne serait pas sûr parce qu'il pourrait incendier aussi la Cameloterie. Sumac ne sait pas encore si c'était une plaisanterie.

Puis, le dimanche, les Loteau voulaient assister à une assemblée baha'ie, mais ils ont finalement emmené Gripette à un office presbytérien vraiment ennuyeux parce que c'était une chose qu'il connaissait mieux, et après il a déclaré n'avoir reconnu aucun des cantiques. Sumac a donc le sentiment que quand ils modifient tous leurs plans pour ce vieil homme, personne n'est heureux.

Il erre dans la Cameloterie comme un fantôme sans tête. Chaque fois qu'il entre dans une pièce, un des membres de la famille se précipite pour l'aider à trouver ce qu'il cherche, mais généralement il est déjà ressorti en maugréant quelque chose d'inintelligible. Sumac a fait des diagrammes de chaque étage avec d'énormes écriteaux, en trente-six points, et les a collés sur les paliers, mais ça ne semble pas améliorer la situation.

C'est aujourd'hui lundi et Mamenthe est en train d'ouvrir le courrier d'une semaine, debout au comptoir parce que, dit-elle, elle devient apathique quand elle reste assise. Elle a reçu une carte sur laquelle sont embossées des plumes argentées, comme son pendant d'oreille (elle n'en a plus qu'un depuis qu'Aubépine a joué à la chasse au trésor avec l'autre). Il y est écrit, d'une calligraphie à l'ancienne, que *Mary Johnson* (c'est-à-dire Mamenthe), *accompagnée de son invité(e)*, sera honorée au gala qui célébrera les femmes aborigènes d'influence.

— Pourquoi es-tu une femme d'influence? veut savoir Sumac.

Mamenthe éclate de rire.

— Je ne le suis pas vraiment. J'ai seulement siégé à quelques conseils et comités et donné une partie de l'argent gagné à la loterie.

C'est drôle comme les parents se montrent plutôt grippe-sous quand vient le temps de dépenser, mais en même temps, ils jettent l'argent par les fenêtres.

— Qu'est-ce qu'ils entendent par *et son invité(e)?*

— Oh! Ça veut dire avec ma conjointe ou mon être cher.

— Mamandine, donc.

— Ne t'avise jamais de l'oublier, murmure celle-ci tout en rangeant des bacs dans le congélateur.

Mamenthe lui envoie un baiser.

— Mais vous êtes tous mes êtres chers.

— Tes nombreux êtres chers, suggère Sumac.

— Bien dit, approuve Mamenthe. Je vais répondre que je viendrai accompagnée de mes *dix êtres chers* s'ils réussissent à trouver assez de chaises.

Cette évocation fait glousser de rire Sumac.

Elle se tait aussitôt que Gripette entre dans la pièce. Elle regarde ses jambes de quatre-vingt-deux ans traverser le mess. Elles fonctionnent bien, alors il aurait pu rester dans le grenier et Sumac aurait pu garder sa chambre bien-aimée...

Aubépine arrive en trombe, brandissant son jeu de ficelle.

— Qu'est-ce que vous voulez me voir faire? Tordre le lézard ou Échapper au bourreau?

— Pourquoi ne pas nous montrer comment Manger son pain doré puis Mettre son assiette dans le lave-vaisselle? suggère Papadum qui dépose une théière entre Gripette et Papaye.

Le visage d'Aubépine s'illumine.

— Je vais faire Deux diamants qu'on appellera Deux assiettes. Préparez-vous à être époustouflés, parce que je peux le faire en six secondes les yeux fermés!

Elle commence à bouger ses doigts tandis que Papaye gémit doucement et que son genou tressaute. Mamandine lui tapote l'épaule.

— Rappelons-nous que le jeu de ficelle améliore la concentration, la mémoire et la coordination œil-main.

— J'ai fini! glapit Aubépine en montrant la forme qu'elle vient de créer.

— C'est, voyons, non électronique, renchérit Mamenthe. Un jeu indigène inventé par des enfants partout de l'Arctique à l'Équateur…

— Ouais, et un de ces jours je vais l'étrangler avec cette ficelle, marmonne Papaye.

— Propos haineux et menace de mort, tu iras en prison, croasse Aubépine.

Gripette boit son thé à grand bruit.

— Catalpa, impératrice de la nuit? demande Papaye.

Catalpa apparaît comme une somnambule et bâille dans sa direction.

— Quel est ton objectif, ta passion, ta quête aujourd'hui?

— Me réveiller.

Ses longs cils reposent sur ses joues.

— À propos de ton cours de design graphique, où en es-tu? demande Papaye.

— Ça va, murmure-t-elle en commençant à grignoter une tranche de pain doré.

Boum! Boum! Sic arrive dans le mess sur son bâton sauteur. Catalpa couvre ses oreilles.

— Arrête ça! lui ordonne-t-elle.

Sic saute sur le sol.

— Tu as passé la nuit à répéter avec Drame de fer, hein?

— Gamme de fer!

Des ricanements se font entendre autour de la table.

— Je ne dors presque jamais, se vante Aubépine. La nuit, je me lève toujours et je joue en faisant attention de ne pas réveiller les gens.

Gripette ricane.

— Vous a-t-elle dérangé, Ian? demande Mamenthe.

Pas de réponse.

— Au moins, je n'ai pas tiré la chasse d'eau, ajoute Aubépine, triomphante.

Personne n'ose sourire.

— Bon... Je peux aller répéter chez quelqu'un cet après-midi? demande Catalpa.

— Une expérience dans le vrai monde, s'émerveille Papaye. Chez qui vas-tu?

— Chez Quinn, probablement.

— Tu nous laisseras le numéro de téléphone de ses parents.

— Hé! À propos d'activités dans le vrai monde, dit Sic, auriez-vous l'obligeance de payer les frais pour ma demande de permis de conduire?

— Tu n'as pas renoncé? demande Papadum en secouant la tête, interloqué.

— As-tu besoin d'un permis pour conduire… tes parents à l'asile de fous? demande Aubépine qui rebondit sur son ballon. Vous pigez? Vous pigez?

— Nous pigeons, la rassure Mamandine.

Sumac se dit que les blagues d'Aubépine ne sont pas toujours si drôles que ça.

Gripette n'a pas l'air d'entendre ce qu'ils disent. Mais Sumac est certaine qu'il n'est pas sourd. C'est comme si les Loteau étaient des mouettes et qu'il se bouchait les oreilles pour ne pas les entendre jacasser.

— Nous parlons d'une qualification éducationnelle, chers parents, dit Sic, la main sur le cœur.

— Tout comme l'est un permis de pilote de montgolfière, intervient Mamandine, mais tu n'en as pas besoin tout de suite étant donné que nous n'avons pas de montgolfière.

— Une attitude défaitiste.

Mamenthe éclate de rire et se penche à travers la table pour embrasser Sic sur le nez. Avec sa poitrine, elle renverse un pot de lait pas tout à fait vide. Sumac lève son verre pour qu'il ne soit pas mouillé.

— Ah!

— Oh non! chantonne Bruno.

— Quelle maison! s'exclame Catalpa.

— Désolée! s'écrie Mamenthe en se hâtant d'aller chercher un chiffon.

— Alors, ce baiser était-il un « oui »? veut savoir Sic.

— Non, mon chou, c'était un baiser, répond Mamenthe.

— Et si on me donnait une contribution de, disons, soixante-dix pour cent, en signe d'encouragement? reprend Sic. Parce que je développe mes talents au lieu de passer l'été couché à lire des romans de cape et d'épée et de sorcellerie et à gratter mes piqûres de moustiques?

Catalpa s'élance pour le frapper, mais il bloque le poing de sa sœur avec son assiette.

— Tu as autant besoin d'encouragement qu'une girafe a besoin d'un cou plus long, lui dit-elle.

Aubépine mime la girafe, ce qui fait rire tout le monde. C'est-à-dire tout le monde sauf Gripette.

— Allez, faites un effort, supplie Sic. Cinquante pour cent.

— Trente, peut-être? suggère Papaye en consultant les autres parents du regard.

— Quarante pour cent, marché conclu!

Il donne un coup de poing dans les airs et personne ne le contredit.

— Où étais-tu de si bon matin? demande Papadum à Sapin qui vient d'entrer.

— Lever du soleil, répond-il en hochant la tête. J'ai vu un lièvre, un cardinal, deux serpents, probablement des couleuvres fauves de l'est, mais comme elles étaient assez petites, c'étaient peut-être des couleuvres à petite tête. Elles se sont sauvées si vite que je n'ai pas eu le temps de compter leurs rangées d'écailles.

— D'après toi, c'étaient une mère et son bébé? demande Sumac.

Il hausse les épaules.

— Elles avaient à peu près la même taille, mais je ne sais pas combien de temps les couleuvres mettent pour grandir.

Aubépine recule si loin sur son ballon qu'elle tombe presque sur son derrière.

— Sont-elles monotones? demande-t-elle.

— Pas pour moi, réplique Sapin. Le jeu de ficelle, voilà ce que j'appelle monotone.

— Quoi, *monotone?* veut savoir Bruno.

— Ennuyeux, lui explique Sumac.

Aubépine secoue la tête et ses cheveux châtains retombent dans ses yeux.

— Monotone, en *paires*.

Tout le monde reste abasourdi.

— Pères et mères? demande Bruno.

— Non! Mariées!

— Elle veut savoir si les serpents vivent en couple, en *paires*, dit Sumac après une seconde.

— *Monogames!* Tu es notre décodeuse! s'écrie Papaye en pinçant la nuque de Sumac.

— Excellente question, Aubépine, et j'avoue que je suis sans réponse, dit Mamandine. Quelqu'un connaît la vie de famille des serpents?

— À mon avis, ils ne sont pas monogames, dit Catalpa. Il suffit de les regarder onduler et puis ils ont la réputation d'être sournois.

Sapin lève les yeux au plafond.

— Ce sont les petites natures qui racontent des mensonges à leur sujet. En Ontario, les abeilles tuent bien plus de gens que les serpents.

— Seulement en cas d'autodéfense, s'écrie Sumac en se portant à la défense des abeilles.

Elle donne un petit coup au pain doré de Sapin.

— Tu dois le tiers de chaque bouchée à une abeille, ajoute-t-elle.

— Bas les pattes! dit Sapin en repoussant ses doigts.

— Restons polis, dit Mamandine.

— Les *couleuvres* se marient? demande Bruno.

— Oui, c'était notre première question, n'est-ce pas? Je défie Sapin de trouver la réponse.

— Des loups.

Le mot est sorti de la bouche de Gripette.

— De quoi s'agit-il, Ian? demande Mamenthe avec un sourire. Que voulez-vous nous dire à propos des loups?

— Un mâle, une femelle, en couple pour la vie. C'est la naturrre.

Sumac observe les visages des parents, qui semblent pétrifiés.

— Oh! Papa, je crois qu'on peut trouver plusieurs coutumes différentes dans la nature, dit Papaye.

Gripette renâcle.

— Un mâle, une femelle, répète-t-il.

Sumac a l'impression que le silence est statique et qu'elle risque de recevoir une décharge électrique d'une seconde à l'autre. Pour une fois, Sic ne sourit pas. Catalpa serre les lèvres et Sapin arbore son air de dur à cuire. Seule Aubépine semble inconsciente; les yeux presque fermés, elle fait une échelle de Jacob avec sa ficelle.

— Oh non! couine Chêne.

Papadum examine une égratignure toute fraîche sur la joue de Sapin.

— Tu devrais mettre de la crème antibiotique sur ça.

— Ouais, ouais.

Ce qui veut dire qu'il ne le fera pas, comme chacun le sait.

— Je peux sortir de table? demande Aubépine en bondissant.

— As-tu mangé ton pain doré? demande Mamenthe.

L'assiette qu'Aubépine lève dans les airs est vide.

— Je soupçonne quelqu'un d'autre de l'avoir mangé, dit Mamandine.

Sapin se frappe la poitrine comme un gorille.

— Les besoins nutritionnels s'accroissent à la puberté, dit-il.

— Très bien, dit Mamandine. Nous allons réviser les douze tables de multiplication, ajoute-t-elle en se tournant vers Aubépine.

Celle-ci gémit comme si on l'avait poignardée.

— Persévère, lui conseille Papadum. *Il ne sert à rien de grimper la moitié d'un cocotier.*

— C'est un de tes sages proverbes indiens? demande Sumac.

Il dodeline de la tête.

— Tu me connais bien, répond-il en prenant l'accent de son père.

Quand on a grimpé la moitié d'un cocotier, on a accompli la moitié du travail, mais on n'a pas encore la moitié de la noix de coco. Alors oui, se dit Sumac, on aurait gaspillé ses efforts si on redescendait de l'arbre…

— Je dois me dépêcher, annonce Papaye en se levant. Je m'occupe du répit parental au centre des enfants dans vingt minutes.

(Ce qui veut dire que les parents profitent d'une pause de deux heures pendant que Papaye charme les enfants comme le Joueur de flûte d'Hamelin, mais il dit en plaisantant qu'on appelle ça « répit » parce que sinon les parents éprouveraient du dépit.)

— Qui veut apprendre aux tout petits à fabriquer des lanternes scintillantes?

Mais aujourd'hui, personne ne semble d'humeur à faire du bénévolat.

— Je m'entraîne pour fracasser le record du monde du nombre de sauts, explique Sic en brandissant son bâton sauteur. Ce record est actuellement, comme vous le savez tous, de deux cent six mille huit cent soixante-quatre, en vingt heures et treize minutes.

Sumac profite de l'occasion.

— Je connais une blague amusante sur les sauts.

— T'es complètement nulle si tu commences comme ça, l'interrompt Sapin. Tu dois créer du suspense.

— C'est vrai, approuve Sic. Pourquoi ne la glisses-tu pas dans la conversation et si par miracle nous rions, bingo!

Sumac fait la moue.

— Voulez-vous entendre ma blague, oui ou non?

— C'est une question rhétorique? marmonne Catalpa.

— En tout cas, tu as dix sur dix pour ce qui est de la persévérance, dit Papadum.

— Alors, voilà, commence Sumac avant de se racler la gorge. Quel chien peut sauter plus haut qu'un immeuble?

— Hum, dit Mamenthe, quel chien…

— Tous les chiens, répond Aubépine d'une voix de robot, parce que les immeubles ne sautent pas.

— Je parviendrais à bien raconter mes blagues si tu ne me volais pas toujours la chute, s'insurge Sumac.

Sic lui adresse un sourire compatissant avant de se diriger vers la sortie.

— N'oublie pas ton casque! crie Mamandine.

Il secoue la tête.

— Il est censé faire trente-cinq degrés aujourd'hui, c'est-à-dire quarante-cinq en comptant l'indice humidex, et ma tête va fondre si je la coince dans un casque. À seize ans, je suis assez vieux pour décider rationnellement de ne pas avoir l'air d'un abruti.

— Les trucs que tu fais avec tes amis débiles, le monocycle, le parkour, marcher sur l'eau, tu as conscience que ce ne sont pas de vrais sports? dit Sapin.

— Ouais, renchérit Catalpa, ils cherchent seulement à attirer l'attention. Vous avez l'air de crétins finis, avec ou sans casques, et aucun de vous n'aura jamais de petite amie.

— Exact, rétorque Sic, alors que passer ton été à ramasser des crottes de chien te rend irrésistible!

Mamenthe place les assiettes dans le lave-vaisselle.

— Si grandir dans cette maison ne vous a pas enseigné à ne pas vous préoccuper de paraître cool ou non, j'abandonne et je vous envoie tous à l'école.

— Ha! Ha! Ha! dit Sic en faisant un effet de train fantôme. Tu répètes la même menace creuse depuis seize ans.

Ils bavardent comme si de rien n'était, pense Sumac. Elle regarde son grand-père, la tête penchée sur sa tasse de thé. Ils font comme si Gripette était un accident sur l'autoroute et que la chose la plus sûre à faire serait de poursuivre son chemin.

Le mercredi soir est consacré à la récupération, et ils ne rentrent à la maison qu'au coucher du soleil, avec une bonne récolte dans la poussette de Chêne : une main de mannequin et trois têtes en polystyrène qui feront merveille pour confectionner des marionnettes, quelques cadres légèrement égratignés, des tas de roses fanées qu'on laissera sécher pour faire des confettis de pétales, un magnétoscope VHS, un détecteur de fumée et une cafetière à démonter pour en étudier le fonctionnement, deux boas de plumes et une cage à oiseaux très chic que Sumac a trouvée et qui pourrait bien avoir cent ans.

— Mais, ce que j'ai préféré, c'est quand on a vu une mouffette avec ses cinq bébés arriver dans la ruelle en agitant la queue, confie-t-elle à Mamenthe en montant l'escalier.

— Formidable, chuchote celle-ci, parce que Chêne, dans son porte-bébé, est blotti contre elle, les cheveux humides de sueur.

Sur la pointe des pieds, Sumac dépose un baiser sur l'oreille de son frère, la gauche, la plus décollée, toujours un peu plissée.

— Mamandine et moi irons dans le bain à remous quand j'aurai couché ce gamin, chuchote Mamenthe. Peux-tu aller vérifier si ton grand-père a pris ses pilules du soir?

Pourquoi moi? voudrait demander Sumac, mais elle connaît la réponse : elle est le chien-guide. C'est une tâche énorme. Pour commencer, ils n'auraient jamais dû la lui confier. Elle aurait dû la refuser, mais elle ne voulait pas que ses parents cessent de la considérer comme une fille si *mature, serviable et rationnelle.*

— Tiens, Sumac, dit Mamandine en sortant de la chambre des mères avec un tube. J'ai racheté de la crème pour ses sourcils.

Sumac descend donc l'escalier et va frapper à la porte. Il y a encore un petit trou là où le clou retenait l'écriteau « Chambre de Sumac ». Mais les enfants ont commencé à l'appeler la gripetterie (même si ce n'est pas indiqué sur un écriteau évidemment).

Sumac entend un grognement de l'autre côté de la porte. Elle ne sait pas si ça veut dire « entre » ou « va-t'en ». Elle frappe de nouveau. Est-ce l'odeur du tabac qu'elle respire?

La porte s'ouvre brusquement.

— Ah! Bonsoir. Mamenthe voulait vous rappeler de prendre vos médicaments.

Gripette secoue un peu la tête. Est-ce pour dire qu'il les a déjà pris et n'a pas besoin qu'on le lui rappelle, ou qu'il n'a pas l'intention de les prendre? Il a une cigarette à demi cachée dans son dos.

— Vous avez oublié? demande Sumac en tendant le doigt.

Il regarde la cigarette comme si elle appartenait à quelqu'un d'autre.

Elle plisse le nez.

— Vous vous rappelez que vous devez aller dehors pour ça?

— Je n'ai rrrien oublié, mamzelle, riposte Gripette. Je pensais juste que ce que je faisais dans ma prrroprrre chambre ne rrregardait perrrsonne.

Sumac se mordille la lèvre.

— Fumer tue.

— Et alorrrs? J'ai quatre-vingt-deux ans, dit-il.

Mais il recule et écrase la cigarette dans une soucoupe.

Sumac se demande s'il se rend compte qu'il donne probablement le cancer à toute la famille. Plus

LE GLOBE
juillet

particulièrement à Chêne parce qu'il est le plus près du sol où flotte la fumée. Elle entre timidement dans la chambre qui est tellement désagréable maintenant.

— Et voici un peu plus de cette crème spéciale pour aider vos sourcils à repousser plus vite.

Gripette lève les yeux au plafond.

— Pourrrquoi ai-je besoin de sourrrcils, au point où j'en suis?

Sumac est abasourdie en entendant la question. Pourquoi a-t-on besoin de sourcils? Est-ce pour empêcher la sueur de tomber dans nos yeux? Ou la pluie?

Il prend quand même le tube de crème.

— C'était quoi le boucan que j'ai entendu ce soir?

Elle lui explique leur soirée de recyclage.

Mais son explication ne doit pas être convaincante parce que le vieil homme la regarde, les yeux exorbités.

— Vous fouillez dans les poubelles des gens?

— C'est un genre de chasse au trésor. Vous savez, c'est bon pour la planète, surtout parce que nous en profitons pour nettoyer les trottoirs avec des pinces à déchets et des ramasse-crottes. Nous sommes comme les Wombles.

Sumac se demande s'il a déjà lu les livres des Wombles.

— Les oursons qui réutilisent et recyclent, précise-t-elle.

Il renifle.

— Godzillionnairrres… vous n'avez pas honte?

Sumac est soudain très fatiguée. Et puis il y a cette odeur, à la fois rance et douceâtre : l'odeur de Gripette, sans doute.

— Pourquoi n'avez-vous rien mis dans la chambre à part votre calendrier à fleurs?

Il a rayé chacun des sept jours écoulés depuis son arrivée.

— Je ne rrresterai pas ici trrrès longtemps, pas vrrrai?

— Non? s'écrie Sumac.

Elle se rend compte que son ton est un peu trop empressé et ajoute avec un ton proche du regret :

— Oh!

Qu'est-ce que ça peut bien vouloir dire? Son regard se pose de nouveau sur la fleur violette du calendrier.

— Pourquoi avez-vous encerclé cette date? demande-t-elle en indiquant le 31 juillet.

— C'est le Jour J. Le jour où je parrrs, répond Gripette d'un air satisfait.

Le pouls de Sumac s'accélère. C'est dans une semaine.

— Vous partez? Où allez-vous?

— Dans ma prrroprrre petite maison à Farrro, évidemment. Ils ont dit : *une semaine ou deux pour commencer, puis nous verrrons.*

Les mots sortent maintenant très vite, comme si la bouche de Gripette était pleine de salive.

— Après deux semaines, ils devront bien admettrrre que tout ça a été une vrrraie perrrte de temps, parrrce que je suis en pleine forrrme. *Mens sana in corpore sano.*

— C'est de l'espagnol? demande Sumac, surprise.

— Tu ne connais pas un mot de latin?

— J'en connais quelques-uns en sumérien, bredouille-t-elle.

Gripette se frappe la poitrine — ça produit un son creux —, puis il se frappe la tête.

— Ça veut dirrre *Un esprit sain dans un corps sain*. Peut-être un peu moins alerrrte qu'avant dans ce déparrrtement...

Il se frappe de nouveau la tête.

— ...mais c'est dans l'ordrrre des choses. Vieillir n'est pas une maladie! J'ai passé tous ces tests absurrrdes, j'ai laissé toutes ces blouses blanches me palper, juste pour trrranquilliser Rrréginald et lui montrrrer que je n'ai rrrien de grrrave. Je suis aussi *compos mentis* que lui, ce n'est pas moi qui crrrois aux signes du zodiaque et aux aurrras!

Jamais Sumac ne l'a entendu parler autant. Gripette semble soudain presque heureux pour la première fois.

— Vous dites que vous êtes compost...

— *Compos mentis*, c'est du latin, ça aussi. Cherrrche ce que ça veut dire, comme le rrrépète ta mère nègrrre.

Sumac sort et ferme la porte derrière elle, très bruyamment, en la claquant presque. Il le mérite après avoir traité Mamandine de *nègre* sur ce ton méprisant.

Elle monte au bureau-tapis roulant et feuillette le gros dictionnaire. *Compos mentis*. Ça sonne comme compost à la menthe. Elle trouve la traduction : *Sain d'esprit*.

Oh! Comme ça Gripette ne pense pas être en train de perdre la boule, à part ce qui est normal quand on a quatre-vingt-deux ans. Serait-il possible que ce soit comme la fois où le médecin craignait que Mamandine ait une pierre au rein et que finalement elle n'avait rien?

C'est vrai. Papaye a parlé d'*une semaine ou deux*. Si on découvre que cette affaire de démence était une erreur, Gripette pourra rentrer chez lui et tout redeviendra normal à la Cameloterie! (Bien sûr, il se moquerait de l'idée de quelque chose de normal ici. Disons que tout redeviendra comme avant.)

Sumac saute sur le tapis roulant. *Hé! que c'est lent*, comme dirait Bruno!

CHAPITRE 8

AMI OU ENNEMI?

Les Loteau ne peuvent pas aller au pow-wow cette année (parce qu'ils doivent *faire les choses simplement*, ce qui est la phrase code signifiant s'occuper de Gripette). Cela veut dire qu'il faudra attendre Dieu sait combien de temps avant de revoir Baba, un de leurs vraiment très gentils grands-parents. Sumac est hors d'elle en apprenant la nouvelle. Elle a envie de dire « Mais si on reçoit les résultats de ses tests et qu'il est suffisamment *compos mentis*, il retournera à Faro avant la fin de semaine », mais parvient pourtant à rester bouche cousue. Elle ne veut pas vendre la peau de l'ours avant de l'avoir tué : si elle le dit à voix haute, ça pourrait bien ne pas se produire.

La plupart du temps, le vieil homme reste assis dans sa chambre austère à écouter de la musique classique à la radio. Sumac suppose qu'il tue le temps comme un prisonnier tout seul dans sa cellule.

Le lundi matin, comme il refuse d'aller à la plage à vélo, Mamandine se demande à voix haute si c'est la canicule qui l'épuise. Gripette rétorque qu'il est en parfaite santé, merci beaucoup, et qu'il n'a pas besoin d'un taxi puisqu'il n'a pas encore oublié comment rouler à bicyclette. Puis il monte chercher sa serviette. C'est ce qu'on appelle la psychologie inversée : les Loteau s'en servent pour convaincre Bruno de changer de chaussettes en insinuant qu'elle n'est peut-être pas capable de le faire toute seule.

Papadum reste à la maison, parce que Chêne dort déjà dans sa poussette. Il dit qu'il va réparer les étagères branlantes dans la bibliothèque et cuisiner une paella aux fruits de mer. (En réalité, c'est parce qu'il est casanier et a besoin d'un répit parental de temps en temps.) Filant sur la piste cyclable derrière la famille, Sumac regarde les jambes pâles et poilues de Gripette pédaler sur le vélo de Papadum. Elle ne peut s'empêcher de se demander quelles sont les statistiques sur les personnes de quatre-vingt-deux ans qui tombent de vélo.

Ce qu'il a dit sur son *corps sain* est certainement vrai, alors aurait-il aussi raison à propos de son esprit? Aux yeux de Sumac, Gripette ne semble pas particulièrement confus, juste en colère, surtout. Les parents auraient-ils pu se tromper lourdement?

Mais… hum… quand quelqu'un a des trous dans son cerveau, il ne s'en rend peut-être pas compte. De plus, les parents sont passablement brillants quand on additionne tous leurs différents talents. Et les spécialistes et les experts l'auraient dit si Gripette ne souffrait d'aucune démence. D'un autre côté, il faut attendre une éternité pour avoir les résultats des tests. Sumac n'a donc qu'à croiser les doigts en espérant très fort faire de nouveau partie d'une famille de onze parfaitement proportionnée.

Sur la plage, Sic, Catalpa et Sapin dénouent les cordes de bungee qui retiennent leur kayak gonflable au vélo de Sic et se démènent pour le monter. Mamenthe enduit le haut du corps de Bruno de lotion solaire tout en tenant un minuscule gilet de sauvetage sous son coude.

Gripette sautille sur une jambe en se changeant derrière une serviette.

— Pourquoi mettez-vous un gilet de sauvetage à cet enfant? demande Gripette d'un ton sarcastique. Dans mon temps, on se jetait à l'eau, ou quelqu'un nous poussait dedans. *Apprendrrre en faisant.* Tu nages ou tu coules.

Il fait entendre cet affreux gargouillis qui lui tient lieu de rire.

Les yeux ronds, Bruno s'échappe des mains de Mamenthe.

— Pas *gilso.*

— Reviens ici, poisson glissant.

— Moi pas cours de natation comme Napoléon.

— Mmm, tu as très bien flotté sur le dos, l'autre jour, dit Mamenthe, mais tu as encore besoin de ton *gilso.*

— Moi nage! Moi nage comme Napoléon!

Les yeux fixés sur l'horizon, Gripette s'éloigne, comme s'il ne venait pas de mettre le feu aux poudres. Irritée, Sumac remarque qu'il ne porte pas de lunettes de plongée : juste son vieux short de bain loqueteux. Il entre dans le lac, puis se penche pour plonger. Il avance comme une tortue, faisant avec peine la brasse, le nez au-dessus de l'eau.

— Si Bruno croit qu'elle peut nager, c'est peut-être vrai, dit Mamandine d'une voix forte pour s'assurer d'être entendue.

Sumac n'en croit pas ses oreilles! Mamandine prend le parti de son grand-père dément! Mamenthe attrape Bruno par l'arrière de son maillot.

— Elle a quatre ans, dit-elle.

— C'est vrai, mais elle a des aptitudes physiques. Elle sait faire du vélo et elle a confiance en elle. C'est peut-être suffisant, fait valoir Mamandine.

— Suffisant pour la laisser se noyer comme un chaton, rugit Mamenthe.

Puis elle ajoute d'une voix plus calme :

— Bruno, si tu ne mets pas ton *gilso*, tu devras rester ici avec moi au lieu de…

— Moi nage, grosse maman stupide!

Mamenthe la regarde fixement. Mamandine se lève et va se placer entre elles.

— Je te remplace, murmure-t-elle. Va lire *Orgueil et préjugés* à l'ombre, ma chérie.

— Tu as sérieusement l'intention de la laisser aller à l'eau sans son gilet de sauvetage?

— Je serai juste à côté d'elle et si elle coule, je la repêcherai.

— *Si?*

Pendant que les mères continuent de se chamailler, Bruno se précipite vers le lac.

Sumac s'élance à la suite de sa petite sœur. Au diable Gripette et ses idées ridicules d'autrefois!

Mais Mamandine est déjà derrière Bruno, alors quand celle-ci plonge la tête la première, Mamandine la soulève par les aisselles.

— Respire.

— Lâche-moi, tousse Bruno.

Sumac s'écrase l'orteil contre un caillou couvert d'algues et gémit de douleur.

— Moi *nage!* hurle Bruno.

— Une grande respiration?

Mamandine attend que Bruno respire, puis elle la repose sur l'eau où elle coule une fois de plus.

— Prends-la, supplie Sumac. Ce n'est pas nager, c'est se noyer.

Mamandine observe la petite furie qui se débat.

— On pourrait faire valoir que nager, c'est se noyer un peu, remonter à la surface, se noyer de nouveau un peu...

— Prends-la! hurle Sumac.

Elle se dirige vers sa sœur pour la sauver... mais Bruno est remontée à la surface, toute seule, pantelante, barbotant comme un chien. Mamandine lève les mains.

— Je ne t'ai pas touchée.

— Moi nage, halète Bruno.

— On dirait bien que oui.

Mais Sumac remarque que Mamandine reste à quelques centimètres de Bruno.

— Plus *jamais* gilso.

Bruno replonge, avale un peu d'eau, s'étouffe et tousse. Mamandine la prend dans ses bras.

— Je m'excuse d'avoir crié, dit Sumac d'une voix chevrotante. J'étais inquiète.

— Tu t'inquiètes très bien, répond Mamandine.

Quand Sumac cherche Gripette du regard, il est déjà loin. Il a dépassé l'endroit où Sic, Catalpa et Sapin s'amusent à se faire tomber l'un l'autre du kayak. *Va-t'en, va-t'en,* chantonne-t-elle dans sa tête comme une rengaine.

— Je suis *hé! que c'est lent* nageur, croasse Bruno, cramponnée au poignet de Mamandine.

— Tout à fait. Maintenant, si tu nous montrais comment tu flottes sur le dos?

Sumac est soulagée parce qu'ainsi la bouche de Bruno sera hors de l'eau pendant quelques instants.

Plus tard, de retour sur la plage, Bruno creuse dans le sable et baragouine à propos des dinosaures à côté de Papaye. Ce dernier griffonne des notes poisseuses dans les marges d'un livre intitulé *Les arts plastiques au préscolaire : C'est la démarche qui compte, pas le résultat.*

Sumac scrute de nouveau l'horizon, armée de jumelle, cette fois.

Papaye lève les yeux.

— Dis-moi, commun ou marin?

— De quoi tu parles? D'un rorqual? demande-t-elle, tout excitée.

— D'un goéland.

— Oh!

Elle s'appuie contre lui.

— Dit-on qu'une chose est *égarée* quand on ne peut la trouver, mais qu'elle n'est pas officiellement perdue?

— Pourquoi? Qu'est-ce que tu as égaré?

— Ton père, avoue-t-elle. Je pensais que c'était ce point là-bas, mais j'ai l'impression que c'est juste un goéland.

— Ne t'en fais pas, chaton. Il doit être quelque part par là.

— Mais je suis censée être son chien-guide!

Plus que deux jours avant le 31; si c'est vrai qu'il ne reste que deux jours, Sumac peut s'en sortir. Elle respire profondément avant de demander à Papaye si Gripette a dit la vérité. Mais une fois de plus, elle préfère s'en abstenir, parce que si c'est faux, elle ne veut pas le savoir.

— Penses-tu que mon père essaie de battre un record en nageant jusqu'à l'État de New York? demande Papaye avec un petit rire.

— En principe, c'est possible, dit Mamandine derrière son cahier de sudokus et de kakuros avancés. Souviens-toi de la fille qui, dans les années cinquante, a nagé cette distance en vingt heures cinquante-neuf minutes.

Sumac imagine qu'elle est cette fille, qu'elle jette un dernier regard désespéré à sa montre — avait-on des montres étanches à l'époque? — et qu'elle décide : *J'atteindrai* coûte que coûte *la grève avant la vingt et unième heure.*

— Sumac, tu as perdu un aîné qui a traversé une frontière internationale! gronde Papaye en faisant de gros yeux.

— Ne me taquine pas.

— Impossible. Pour paraphraser Emma Goldman à propos de la danse : si je ne peux pas taquiner, je ne veux pas faire partie de cette famille. Excellent petit chien-guide, ajoute-t-il en caressant les cheveux mouillés de Sumac.

— *Hé! que c'est lent*, rectifie Bruno en levant les yeux de ses fouilles archéologiques.

Sumac préférerait être un chien de garde. Son travail consisterait à aboyer à l'approche d'inconnus grincheux et à les éloigner de sa famille. (Sa famille, c'est-à-dire les gens qu'elle aime vraiment.)

Sapin arrive et se laisse tomber comme une effigie sur la tombe d'un chevalier.

— Papa est un vieux bonhomme passablement costaud, dit Papaye, les yeux fixés sur l'horizon. Il me traînait dans notre lac local dès le dégel, en mai, ajoute-t-il en frissonnant. Et même en avril… il cassait la glace avec une hachette et nous faisait un trou pour nager.

— Menteur, menteur, chantonne Aubépine.

— Toi Pinocchio, ajoute Bruno.

De retour elle aussi, Catalpa lit *Les misérables* en version roman graphique et écoute sa musique.

Attendre que Gripette réapparaisse, c'est comme surveiller une marmite dont le contenu ne bouillira jamais. Sumac se recroqueville donc sur le sable et laisse le soleil chauffer ses omoplates. Elle en est à son passage préféré de *Fifi Brindacier*, celui où Fifi achète trente-six livres de bonbons qu'elle partage avec les autres enfants.

— Tu fais des progrès en ancien sumérien? lui demande Mamenthe.

— Assez, répond Sumac en se redressant.

Puis elle jette un coup d'œil à Papaye et ajoute :

— Je l'apprends toute seule parce que comme *quelqu'un* a laissé tomber notre moment partagé, c'est devenu un moment pas partagé.

— Je suis doublement méga désolé, marmonne-t-il.

— C'est une langue orpheline, explique-t-elle à Mamenthe. Cela veut dire qu'elle est spéciale parce qu'on ne peut la relier à aucune autre langue. Et comme personne ne connaît vraiment la prononciation, on est libre de dire les mots comme on en a envie.

— Alors, si tu retournais dans le temps, personne ne te comprendrait? commente Aubépine en creusant un fossé plus profond autour de son château de sable.

Sumac n'y avait pas songé.

— Hé! Une autre chose géniale, c'est qu'il y avait deux genres, mais ce n'étaient pas le masculin et le féminin, mais l'humain et le non humain. Et puis…

Elle essaie de se rappeler tout ce qu'elle a appris.

— Les Mésopotamiens portaient des perruques en pierre. Et ils n'étaient pas obligés de se faire percer les oreilles parce qu'ils portaient des anneaux sur leurs lobes. Oh! Et si un homme avait besoin d'argent, il pouvait vendre sa femme et ses enfants comme esclaves pour une période de trois ans.

— C'était le bon temps pour les pères, mugit Papaye. À quoi sert ma parenté si je ne peux la louer?

Mamandine se penche et tape sur l'épaule de Catalpa, qui sursaute. Puis elle retire les écouteurs emmêlés dans les longs cheveux de Catalpa.

— Arrête! dit cette dernière.

— Tu rates une histoire fascinante.

— Oh! Zut, dit Catalpa.

— Sois présente ou pars, mon amour.

— Ça va, ça va.

Elle renonce à sa musique, mais rouvre son roman graphique et s'étire en bâillant, comme une panthère.

— Aurait-elle attrapé la maladie du sommeil? demande Papaye.

— Je me suis levée tellement tôt que je suis complètement crevée, dit Catalpa sans lever les yeux.

Elle a un emploi d'été : reconduire chaque matin une fillette de cinq ans à son camp sur l'espace et la ramener à la maison l'après-midi.

— C'est ce que j'appelle de l'argent gagné de façon ridiculement facile, dit Sapin, toujours allongé sur le sable, les yeux fermés. Alors, ferme-la. Je ne gagne pas un sou comme protecteur de l'environnement.

— Parce que tout ce que vous faites, les gars, c'est de rester là à vous asperger mutuellement avec les tuyaux d'arrosage!

— Et qu'en est-il de la vie familiale de la couleuvre fauve de l'Est? les interrompt Mamandine.

Sapin grogne et se soulève sur un coude.

— Bon. Écoutez : pas monogames. C'est-à-dire, le contraire de monogames. Pour commencer, elles jeûnent pendant deux semaines, se préparent…

— Je ne me suis jamais préparée pour un rendez-vous de cette façon, murmure Mamenthe.

— Ensuite, elles forment une boule d'une femelle et de jusqu'à vingt-cinq mâles.

— Vingt-cinq fois beurk! s'écrie Aubépine.

— À chacun sa manière, commente Mamandine en haussant les épaules.

Sumac aimerait que Gripette entende ça. Elle se souvient de ses mots : « *Un mâle, une femelle, en couple pour la vie, c'est la nature.* » Mon œil! Elle plisse les yeux vers l'horizon, mais il n'y a encore aucun signe du vieil homme.

— Ensuite la femelle va donner naissance…

— Pondre ses œufs, corrige Sumac.

— Moi aime les œufs, ajoute Bruno.

— Pas des œufs, des bébés serpents vivants, dit Sapin à Sumac. Alors, na! Entre trois et quatre-vingt-dix-huit bébés. Et puis *Adieu maman*, ils s'en vont vivre leur vie en ondulant.

— Oh! dit Mamandine. Et les deux que tu as vus ensemble l'autre matin?

— Aucun lien de parenté, ou peut-être des frères et sœurs qui ne se reverront jamais. Et bon débarras, ajoute-t-il en regardant ses sœurs.

— *Comme c'est différent de la vie familiale de notre reine bien-aimée*, dit Papaye, d'une voix de fausset très distinguée.

— Ian, vous êtes un bon nageur, dit Mamandine.

Sumac sursaute. Le vieil homme est juste derrière eux, le visage rouge et dégoulinant.

Un couple avec un bébé marche à ses côtés, l'air mal à l'aise. On apprend que ces gens viennent de Lille et Mamenthe se met aussitôt à bavarder en français avec eux. Elle leur conseille de visiter Montréal, où elle a fait des études de droit et est devenue avocate.

— Je n'étais pas perrrdu, ne cesse de répéter Gripette sur un ton bourru.

— Ça va, papa, le rassure Papaye, mais ils disent que quand tu es sorti du lac, tu ne semblais pas savoir…

— Je m'orrrientais, c'est ça que je faisais. Pourrrais-je avoir un moment à moi sans que des gêneurrrs viennent fourrrer leur nez dans ce qui ne les rrregarrrde pas?

Sumac fronce les sourcils en essayant de visualiser la scène.

— Moi *hé! que c'est lent* nageur, annonce Bruno.

— Oui, acquiesce Mamandine, pas de gilet de sauvetage pour Bruno aujourd'hui, tout un progrès.

Gripette s'essuie avec sa serviette.

Sumac est furieuse. Après avoir provoqué toute cette histoire, il s'en fiche complètement.

Le lendemain après-midi, dans la bibliothèque, Sumac consulte Internet sur les *symptômes de la vieillesse.* (Elle ne va dans l'horrible mi-chambre que pour dormir; cette pièce ne sera jamais sa vraie chambre.) Comme elle l'apprend, Gripette avait raison de dire que c'est normal d'avoir perdu un peu la boule à quatre-vingt-deux ans. Elle éprouve même un peu de compassion devant la liste des choses perdues : pas seulement la boule, mais la taille, des dents, la vue, l'ouïe, etc. C'est terrible de vieillir, vraiment terrible.

Puis elle entend le bruit de la chasse d'eau et tous ses muscles se tendent de nouveau. Gripette montre ce qu'il pense de la politique familiale concernant le jaune et le brun en actionnant la chasse d'eau chaque fois qu'il passe devant une des salles de bains. Il range aussi des choses au mauvais endroit, juste pour embêter tout le monde. C'est presque du sabotage : les craquelins dans le réfrigérateur, des verres fumés sur le perchoir d'Opale, le pot à lait laissé à surir sur une étagère...

Des livres sont éparpillés sur la table fabriquée par Papadum à partir d'une porte récupérée : *Une tragicomédie familiale, L'Indien malcommode, Démence : les premiers symptômes.* Ah. Sumac prend celui-là.

Le premier chapitre s'intitule « Écarter les autres possibilités ». Elle tourne les pages et découvre qu'une carence en vitamines B12 peut rendre confus... mais non, si c'était le cas, Gripette aurait le teint jaunâtre, sa respiration serait sifflante et il serait tout le temps étourdi.

Souffrirait-il d'hydrocéphalie, ce qui signifie qu'on a de l'eau dans le cerveau? Non, car alors il marcherait comme si ses pieds étaient collés au sol et il mouillerait beaucoup son pantalon. Beurk. Elle continue à lire.

« L'irritabilité et la confusion peuvent être causées par une grave déshydratation. » Oui! C'est sûrement ça. Sumac referme brusquement le livre et dévale l'escalier.

Sur le palier, elle entre en collision avec Mamandine qui s'entraîne sur le tapis roulant.

— Gripette ne boit pas d'eau, s'écrie Sumac. Il s'est vanté de ne jamais y toucher!

— Et alors?

Sumac s'arrête, troublée par une lacune dans sa propre logique et pense à haute voix :

— Alors, il devrait être déjà mort!

Mamandine pouffe de rire.

— Ce n'est pas drôle, proteste Sumac. Il pourrait être *gravement déshydraté.*

— Selon toi, de quoi est fait le thé? Et le lait, le jus, la limonade, les fruits et les légumes?

Sumac se sent idiote.

— Oh! dit-elle.

En remontant, elle regrette de ne pas avoir connu le vieil homme des années auparavant; ainsi, elle saurait comment travaillait son esprit et pourrait évaluer à quel point, en comparaison, il est aujourd'hui plein de trous. S'il s'agissait de Mamenthe et qu'on la voyait soudain se servir de la calculatrice de son téléphone pour connaître le prix de onze croissants plus taxe, on saurait qu'il y a un gros problème. Alors que Papaye, lui, ne serait jamais capable d'ajouter la taxe à un seul article, pas même avec la calculatrice géante en forme de pied que Bruno adore. Et c'est normal, parce que deux esprits ne fonctionnent pas de la même façon. Celui d'Aubépine, par exemple, est très rapide et a tendance à s'écraser, comme dans une course automobile. Sic a un partenaire d'échecs à Osaka qui a un mot pour décrire le phénomène : *né* quelque chose, pas névrose… *neurodiversité*, voilà. La diversité des esprits.

Le propre esprit de Sumac (qu'elle considère en général comme plutôt efficace) travaille aujourd'hui en cercles lents et inutiles. Rien à voir avec la course automobile. Il ressemble davantage à l'auto-caca des Zhao avec des pneus crevés.

Mais une idée lui vient à l'esprit : il y a un test d'intelligence qu'elle pourrait faire passer à Gripette.

Elle descend et frappe à la porte sur laquelle on distingue toujours la forme de l'écriteau « Chambre de Sumac ».

— Voulez-vous… euh… aimeriez-vous jouer aux échecs avec moi? demande-t-elle quand le long visage du vieil homme apparaît.

— Pourrrquoi faire?

— J'en ai besoin, improvise-t-elle, c'est un genre de devoir.

En bas, dans la salle de jeu, le vieil homme examine avec suspicion les pièces en forme de dieux grecs que Sumac dispose sur l'échiquier. Dans la fosse d'orchestre, de l'autre côté du mur, elle entend Catalpa (qui chante et s'accompagne à la guitare) et Sic (au piano) dans une version de cette chanson de Lorde que Sumac n'en peut vraiment plus d'entendre.

Au bout d'environ quatre minutes, Gripette interrompt la partie d'échecs en grondant :

— Tu as sauté par-dessus mon rrroi, espèce de petite effrrrontée!

— Mais c'est permis, lui rappelle-t-elle, si le roi et la tour n'ont pas...

— Que nenni. Seul le cavalier peut sauter.

— Comment ça, que nenni? s'étonne Sumac qui contemple l'échiquier, soudain incertaine. On a le droit de roquer quand il n'y a rien entre la tour et le roi. On joue toujours comme ça, et...

— Oh! Vous jouez toujourrrs comme ça, pas vrrrai? Vous les Loteau? Eh bien, le rrreste du monde appelle ça trrricher.

— Sumac ne triche pas.

Adossé dans l'embrasure de la porte, Sic ne sourit pas, pour une fois.

— Même quand… vous savez comment les jeunes enfants essaient toujours de tricher parce qu'ils veulent gagner? Eh bien, Sumac ne l'a jamais fait.

Le vieil homme émet un petit ricanement.

— Elle n'est pas une tricheuse, compris? répète Sic, plus fort.

— Dans ce cas, c'est une i… une ign… une ignor… une ignoble qui ne connaît pas les rrrègles des échecs.

Sumac déglutit péniblement.

— Tu veux jouer avec moi, Smaquerou? lui propose Sic.

Elle secoue la tête et incline l'échiquier pour faire glisser les pièces. Tous les dieux et les déesses dégringolent dans leur boîte comme s'ils envahissaient les Enfers.

— Avec quel animal ne doit-on jamais jouer aux cartes? demande Aubépine dont la tête apparaît dans l'encadrement de la porte, sous le bras de Sic.

— Boucle-la, Aubépine, maugrée-t-il.

— Devinez! Avec quel animal ne doit-on jamais jouer aux cartes? répète-t-elle en les regardant à tour de rôle.

Sumac referme bruyamment le couvercle de la boîte.

— Une autriche, crie Aubépine. Vous pigez? Une autruche qui triche. Vous pigez?

— Je ne suis pas une tricheuse!

Sumac ne s'enfuit pas en courant, mais elle marche vraiment très vite, parce qu'il n'est pas question qu'elle fonde en larmes devant cet horrible vieil homme. Il pourrait la traiter de bébé gâté.

Le lendemain après-midi, pendant que Mamenthe et Mamandine désherbent le jardin communautaire et que Catalpa est allée répéter, Papadum leur sert des bâtonnets glacés maison dans l'arrière-cour. Sumac en choisit un avec des framboises et des morceaux de pêche.

— Une agréable petite brise, dit Papadum en s'étirant.

Mais Sumac se sent seulement poisseuse.

Papaye fait sauter Chêne sur ses genoux.

— Avez-vous passé une journée intéressante? demande-t-il.

— J'ai vu un faucon pèlerin, répond Sapin.

— Fantastique!

Papaye joue maintenant au cheval avec Chêne. Il le fait sauter jusqu'à ce qu'il glisse de sa jambe et se balance comme un singe.

— Plus de cent personnes ont assisté à notre séance d'information « Comment rendre sa maison plus écologique » à la bibliothèque, dit Papadum.

Papaye lui adresse un grand sourire.

Papadum est un genre de délinquant réformé, parce qu'avant il dirigeait d'énormes chantiers qui transformaient les champs en centres commerciaux. Désormais, il utilise ses talents pour faire le bien.

Aubépine fait semblant d'être vexée.

— Quoi, tu as trouvé ça plus intéressant que le temps passé avec nous? demande-t-elle à Papadum.

— Hé, c'est un des avantages quand une famille compte quatre parents, dit Papaye. On peut passer du temps à être autre chose qu'un père ou une mère.

Papadum sourit à Aubépine.

— Mais brosser tes cheveux a indiscutablement été la chose la plus *reposante* que j'ai faite.

Le seul moment où Aubépine reste tranquille, c'est quand Papadum démêle sa tignasse avec ce qu'il appelle sa brosse magique.

— Ce qui a été le plus intéressant, j'imagine, c'est quand… j'ai réussi haut la main mon test sur le code de la route! déclare Sic en exécutant une petite danse de la victoire sur sa chaise. J'ai maintenant entrepris un programme sur les techniques de pointe en conduite défensive. Reculer, vérifier mon angle mort…

Sumac plonge son regard dans les yeux couleur chocolat de son frère.

— Je ne savais pas que tu avais un angle mort.

— Tous les conducteurs en ont un, dit Papadum en pointant son pouce derrière lui, à gauche. C'est le petit bout que tu ne peux pas voir dans ton rétroviseur. Il faut tourner la tête.

— Changer de voie, freiner en douceur, zigzaguer dans la circulation, reprend Sic en faisant tourner dans les airs son grand soulier de course droit.

— Quand tu parles de *programme*, s'agit-il de vrais cours de conduite? demande Papadum.

— Eh bien, j'apprends tout seul, répond Sic. C'est un logiciel de conduite virtuelle.

Papaye lève les yeux au ciel et s'enfonce dans sa chaise.

— Mais je pourrais m'entraîner à conduire en toute légalité s'il y avait un adulte à côté de moi, affirme Sic.

— Un adulte imaginaire, comme Mario? se moque Sapin. Parce qu'aucun adulte réel ne te laissera jamais au volant d'une vraie voiture.

— *Si on lui en laisse le temps, un ruisseau peut fendre une montagne*, déclame Sic.

— Ouais, tu sauras peut-être conduire quand tu auras l'âge de Gripette, dit Sapin.

— À propos, où est-il? demande Papaye en jetant un regard circulaire.

— Bruno l'a emmené se promener dans le ravin, répond Papadum. Le ruisseau est à sec, mais…

Il se frotte la barbe quand leurs regards se croisent.

Papaye se lève, Chêne sur sa hanche.

— Nous devrions peut-être aller voir comment ils…

C'est alors qu'ils entendent une plainte, et Bruno, en short, sort en courant de la brousse.

Papaye s'efforce de se faire entendre au-dessus des hurlements.

— Que se passe-t-il, trésor?

Mais ils voient tout de suite l'éruption sur les bras et la poitrine de Bruno, les boutons rouges qui enflent déjà. De l'herbe à puce! Sumac soupire, pleine de compassion. Les boutons vont se transformer en ampoules purulentes.

Gripette surgit dans le jardin derrière Bruno.

— J'ai sorrrti l'enfant de là dès que j'ai pu.

— Merci, Ian, dit Papadum. Le tuyau d'arrosage!

Papaye se précipite déjà pour aller le chercher.

— Il faut te rincer, Bruno, enlever la résine, le poison qui colle.

Elle pousse de petits cris sous le jet d'eau froide.

— Et vous, enlevez vos bottines pour que j'arrose vos pieds, dit Papadum à Gripette.

— Tes pieds, papa, dit Papaye.

— Ne vous grattez pas, conseille Papadum au grand-père qui tire ses bottes à embout d'acier. La chose à faire, c'est se rincer puis prendre un bain tiède.

— On va mettre tes chaussettes dans un sac-poubelle, papa.

— Pas question de jeter mes bas, proteste Gripette, offensé.

— Il faut juste les laver.

— Mes bas sont parrrfaitement convenables.

— Du yogourt, peut-être? Ou de la camomille? suggère Papaye en arrachant le short et la culotte de Bruno. Ça calmerait peut-être.

— De l'hydrocortisone et des antihistaminiques, voilà ce dont ils ont besoin, affirme Papadum. Je vais voir dans l'armoire à pharmacie.

— Tes chaussettes, papa, insiste Papaye d'un ton implorant.

— Le garrrçon, dit Gripette, le regard fixe.

— Sapin? demande Sumac, qui le cherche du regard.

— Le petit chauve, dit le vieil homme en faisant un geste vers Bruno qui grelotte, toute nue, sous le jet d'eau. C'est une fille.

Un silence. Puis Bruno explose.

— Moi, pas une fille!

Aubépine pouffe de rire.

— Vous ne le saviez pas? demande-t-elle au grand-père.

Il lui jette un regard furibond.

Sumac est interloquée. Après avoir passé presque deux semaines ici, cet homme croit encore que Bruno est un garçon?

— Pour le moment, Bruno préfère qu'on ne le dise pas, murmure Papaye.

Gripette hausse les sourcils — les poils hérissés qui ont recommencé à pousser.

— Qu'on ne dise pas qu'elle est une fille?

— *Pas* une fille! hurle Bruno.

Mais encore une fois, comme Sumac le réalise, les Loteau forment une famille nombreuse, ils parlent beaucoup et souvent tous en même temps. Gripette a peut-être entendu *elle* sans savoir qu'il s'agissait de ce petit bout de chou chauve de quatre ans.

— Pour l'amour du ciel, pourrrquoi l'avez-vous appelée Bruno?

— En fait, elle s'appelait Bruyère, explique Sumac. Mais elle a changé de nom à trois ans.

— Vous êtes tous complètement cinglés, décrète le vieil homme avant de se diriger à grands pas vers la maison dans ses chaussettes trempées.

Après le retour des mères, Sapin propose de jouer dans le ravin à un jeu appelé « ami ou ennemi ». Comme ça, plus personne ne se fera mal cet été. (Gripette ne répond pas quand Aubépine va frapper à sa porte pour l'inviter à participer.)

Sapin indique une feuille dentelée.

— Ortie, ennemi! crie Bruno.

Comme elle est dans son camion de pompier, elle ne peut atteindre ses tibias pour gratter ses boutons, alors elle les frotte contre un arbre. Sic se penche vers des boules orangées.

— Mmm, quelle est cette délicieuse petite amie? demande-t-il.

— Laisse-moi y goûter, dit Aubépine en tendant la main.

— Ennemi! Tu es morte, déclare Sapin. C'est un pommier d'amour.

— Aubépine pas morte, dit Bruno d'une voix hésitante.

— Celle-ci est une fraise, totalement amie, lui dit Sumac qui en avale une.

— Qui dirige ce jeu? demande Sapin.

— Ce n'est pas une expédition militaire, murmure Mamenthe.

— C'est une question de vie ou de mort, maman.

— Oups, j'aurais dû faire semblant de ne pas reconnaître une fraise quand j'en ai vu une? demande Sumac.

— Moi veux une fraise, dit Bruno.

— Et ça, qu'est-ce que ça peut bien être? demande Aubépine, les yeux ronds. C'est noir et c'est une baie…

Elle la laisse tomber dans la main de Bruno.

— Serait-ce par hasard notre amie la mûre?

— Veux pas mûre!

Et Bruno la lance dans le buisson.

— Je l'aurais bien mangée, moi, déplore Sumac.

— Moi veux une fraise! répète Bruno qui tambourine sur les côtés de son camion en carton.

— Reste calme si tu veux jouer avec nous, lui rappelle Mamenthe. Et que dites-vous de cette baie de sureau? continue-t-elle en pointant le doigt vers un petit fruit rouge.

— Ne donne pas les noms à cette bande de perdants, la rabroue Sapin. Ils doivent reconnaître les plantes de vue, c'est une affaire de survie.

— Quand ce sera la fin du monde, tu veux dire? demande Sic en ricanant. Quand, avec ta grande *connaissance de la vie en forêt*, tu le lèveras pour être le chef de la poignée de survivants torontois?

Sapin prend une position de karaté pour lui donner un coup de pied, mais Sic l'esquive.

— Tu te moques maintenant de ton petit frère, dit Papaye, mais, le jour de l'Apocalypse, tu le supplieras de te laisser entrer dans son bunker.

— Alors, la baie de sureau, c'est une amie ou une ennemie? demande Sumac.

Mamenthe esquisse un geste vague de la main.

— Comme les haricots, elles deviennent amicales quand on les fait cuire.

Ils se dirigent maintenant vers la pente du ravin. Il y a eu des inondations au début de l'été et le sentier est encore un peu granuleux. Bruno regarde avec rancœur des feuilles vertes aux tiges courtes avec des baies rouges en agitant le doigt.

— Feuilles trois par trois, n'approche pas! récite-t-elle.

— En fait, celle-ci est une amie appelée sumac aromatique, lui dit Mamandine. Tu vois, les trois feuilles ont la même taille. La feuille du milieu de l'herbe à puce est plus longue.

Bruno frotte une de ses jambes enflées avec son autre pied.

— Trois feuilles, ennemies.

Sumac frissonne : sa petite sœur reconnaît les plantes qui ont trois feuilles, constate-t-elle. Serait-ce elle qui a couru dans la touffe d'herbe à puce pour sauver Gripette au lieu du contraire?

— Quelqu'un se rappelle comment distinguer le sumac vénéneux de l'aromatique? demande Mamandine.

— Des baies blanches et visqueuses, répond Sapin, s'adressant au groupe.

— Blanches, oui, mais elles pendouillent.

Mamandine laisse tomber ses mains et fait une grimace de monstre.

Sumac éprouve un petit pincement de plaisir devant l'expression de Sapin.

— À propos, tribu, il y a de nouveaux règlements, annonce Mamenthe sur le chemin du retour vers leur propriété.

— Combien de nouveaux règlements et à quel sujet? demande Sumac.

Elle sort un carnet de la poche de son short pour les noter.

— Seulement un. Votre grand-père ne peut pas être responsable des petits, explique Mamandine. Alors si Bruno ou Chêne sont avec lui, la présence d'un adolescent ou d'un adulte est nécessaire.

— Est-ce important? demande Sumac.

Tout le monde la dévisage et elle se sent rougir.

— Je veux juste dire que… s'il s'en va demain ou quand on aura les résultats…

— S'il s'en va où? demande Mamandine.

— S'il part, bredouille Sumac. S'il retourne à Faro.

— Mon père ne retournera jamais à Faro, mon trésor, dit Papaye d'une voix rauque.

Comment ça, *jamais?* Comment peuvent-ils en être sûrs? Sumac cligne des yeux.

— Mais il a dit que *tu* avais parlé de deux semaines et qu'après ça vous verriez. Deux semaines, ça signifie le dernier jour de juillet et c'est demain.

— Je ne crois pas que quiconque ait mentionné quelque chose d'aussi précis que deux semaines, lui dit Mamenthe.

— Bon, *quelques semaines*, grommelle Sumac. Il l'a noté sur son calendrier. Le calendrier à fleurs dans sa chambre. Il a encerclé la date.

Tout le monde la regarde d'un air interdit.

— Tu es la meilleure observatrice de la famille, dit Mamenthe.

— Il prétend qu'il est parfaitement *mensané*, dit Sumac qui soudain n'arrive plus à retrouver l'expression, des mots en latin qui veulent dire que son esprit est en parfait état et que tout ça a été une grosse erreur.

— Si tu es une bonne observatrice, comment n'as-tu pas remarqué que le bonhomme a le cerveau ramolli? demande Sapin d'une voix moqueuse.

— Sapin! proteste Mamenthe.

— Brouillé, insiste-t-il en faisant semblant de battre des œufs. Il a mis ses verres fumés dans le four à micro-ondes.

— Il les a fait cuire? s'écrie Papaye, horrifié.

Sapin secoue la tête.

— Je suis intervenu juste à temps.

— Il est encore capable de jouer aux échecs, fait valoir Sumac sur un ton hésitant.

— Et il a gagné? demande Sic.

— Il... on a arrêté la partie parce qu'il m'a traitée de tricheuse. Il a des règles différentes.

En prononçant ces mots, Sumac se rend compte qu'ils sont complètement bidons.

— C'est-à-dire qu'il a oublié les règles, dit Mamandine. Je regrette, Sumac, mais nous avons reçu tous les résultats de ses tests, et ils montrent beaucoup de déficits cognitifs. Des trous. (Pour une fois, elle ne demande pas aux jeunes de *chercher le mot dans le dictionnaire*.)

— Il ne se rappelle plus qui est le premier ministre, ajoute tristement Papaye.

— Et alors? s'écrie Aubépine. Moi non plus, je ne le sais pas.

— Ni moi, renchérit Sumac.

En fait, c'est un mensonge. Bien entendu, Sumac sait qui est le chef du Canada, mais la plupart des enfants de neuf ans ne le savent pas. Au parc, l'autre jour, par exemple, Isabella et Liam étaient convaincus que c'était Barack Obama.

— Des petits bouts de son cerveau vont-ils repousser, comme ses sourcils? veut savoir Aubépine.

Après s'être consultés du regard, les parents secouent la tête.

Sumac est surprise quand une larme roule sur sa joue. Ce n'est pas à cause de Gripette. C'est parce que tout l'été est gâché, et elle voudrait qu'il soit déjà fini.

CHAPITRE 9

LES ACCOMMODEMENTS

Le lendemain, la date encerclée sur le calendrier de Gripette, les parents ont une conversation sérieuse qui bat tous les records de longueur à côté du trampoline, afin que Chêne puisse s'amuser en roulant tout autour. Ensuite, les mères vont acheter des falafels au magasin du coin pendant que les pères expliquent la situation au vieil homme.

Blottie sur les marches avec ses frères et sœurs, Sumac écoute les trois hommes se disputer dans la gripetterie. Leur grand-père n'a plus rien d'endormi : il est à présent un volcan en éruption qui crache des gaz, de la cendre et de la lave dans toutes les directions.

— Voleurs! rugit-il.

Chêne s'entraîne dans l'escalier. Il préfère monter à quatre pattes plutôt que descendre parce que la gravité est alors son alliée, mais comme il ne tient pas compte du risque d'atterrir la tête la première, ses frères et sœurs ne cessent de le cueillir au dernier moment et il recommence à grimper. Il trouve heureusement l'exercice plus amusant qu'ennuyeux.

— Rrravisseurs! grince le vieil homme.

— LOL! croasse Opale depuis le mess. LOL!

Sumac a tellement mal au cœur qu'elle ne croit pas pouvoir manger un seul falafel.

— Où, les visiteurs? demande Bruno, déconcertée.

— Ravisseurs, rectifie Sic.

— C'est comme des kidnappeurs, précise Sapin.

— Où les kidnappeurs? insiste Bruno en louchant un peu.

C'est trop difficile à expliquer, alors personne n'essaie.

— Que va-t-il se passer si les voisins appellent la police? veut savoir Aubépine.

Catalpa gémit.

— Je parie que c'est Mme Zhao qui a téléphoné aux services sociaux l'autre fois à cause de tes ecchymoses.

Un travailleur social est venu demander pourquoi Aubépine avait tous ces *aubéccidents* et ce fut le moment le plus gênant de la vie de Sumac.

— Tu m'as pris mon auto, tonne le vieil homme, tu m'as mis dans un avion et piégé dans cette commune bizarroïde! Ça s'appelle de la maltraitance aux aînés.

— Pauvre Gripette, murmure Catalpa.

Sumac la regarde en fronçant les sourcils. N'est-ce pas sa grande sœur qui a protesté le plus fort et reproché aux parents de leur *imposer un vieux bonhomme?* Alors pourquoi Catalpa est-elle tout miel maintenant?

La voix de Papaye résonne dans la gripetterie :

— Papa, tu te rappelles ce que le médecin a dit à propos de…

— C'est toi qui juges de ma santé mentale? Bravo! Couvert de tatouages, avec ton mode de vie farfelu et ta bande de bâtards…

— Ne parlez pas à votre fils sur ce ton!

Les jeunes se raidissent parce que jamais Papadum n'a paru aussi en colère.

Chêne pousse un couinement. Sic lui donne des petits baisers sur la tête.

Puis on entend la voix professionnelle de Papaye, basse et apaisante. Sumac ne distingue pas ce qu'il dit.

— Mais on n'a qu'un bâtard et c'est Diamant. Ce n'est pas une bande, proteste Aubépine. Gripette pense peut-être que Kipper, le chien de l'immeuble à appartements est à nous? Mais il est presque complètement labrador.

— Nous, persifle Sumac. Nous sommes les bâtards.

— Ne t'en fais pas, dit Sic en haussant les épaules. Ce sont les meilleurs chiens.

— Mais…

— C'est un fait : nous sommes une bande dépareillée, multiculturelle. Gripette a grandi à une époque de racisme, d'homophobie, tout ça. Les années 1930, ça vous rappelle quelque chose? Hitler? Ex-ter-mi-ner! conclut-il d'une voix de robot.

Sumac a pourtant vu des nonagénaires danser le boogie au défilé de la Fierté gaie.

— Ouais, dit-elle mais il a eu des dizaines et des dizaines d'années pour apprendre à arrêter d'être comme ça. S'il continue comme ça, il sera encore étroit d'esprit à cent ans.

Les jeunes y réfléchissent en silence.

— J'ai tellement faim que je mangerais mon propre poing, dit Sapin.

— Je vais aller dans la rue voir si les mères arrivent, propose Aubépine.

— Chut, l'arrête Sumac en prêtant l'oreille parce que le ton monte de nouveau dans la gripetterie.

— Nous vous avons accueilli, Ian, et en retour, vous pourriez avoir l'élémentaire courtoisie de…

— Qui vous a demandé de m'accueillir, saint Gandhi? gronde Gripette. Je ne voulais pas qu'on m'accueille. Je voulais rester là où j'étais!

La porte d'entrée s'ouvre alors en grinçant et Mamandine crie :

— Le dîner!

Tous les jeunes dévalent alors l'escalier. Sapin porte Chêne sur son épaule, comme un pompier.

Gripette fait la grève du silence : il passe les journées de mercredi et de jeudi dans sa chambre et refuse d'adresser la parole aux Loteau. Même hors de vue, il tombe sur les nerfs de Sumac.

Le vendredi matin, elle est dans la scierie avec Aubépine où toutes deux fabriquent une maquette de Toronto en 1954 avec de la boue, des brindilles et des cailloux. C'est bien sûr Sumac qui fait presque tout le travail, mais Aubépine parvient à se concentrer étonnamment bien quand les choses sont morbides ou dégoûtantes. Quand ses sœurs auront fini, Sapin leur a promis de les aider à recréer l'ouragan Hazel et l'inondation qui a tué quatre-vingt-un citoyens.

Lorsque la plainte d'une perceuse retentit dans l'air, Sumac suit le bruit et entre dans la gripetterie où elle trouve Papadum sur un escabeau en train de percer un trou dans le plafond. Le grand-père n'est pas là, mais sa vieille odeur de renfermé flotte encore dans la pièce. Ses valises ont disparu. Sumac se sent fébrile l'espace d'un instant, puis elle présume qu'il a dû défaire ses bagages.

— Est-il…

Elle évite de dire *parti*, parce que ce serait comme se bercer d'illusion.

— Sorti?

Papadum fait signe que oui.

— Papaye l'a amené au magasin de chaussures pour acheter des souliers orthopédiques. Ils seront plus confortables.

Sumac se demande pourquoi il n'a pas échangé ses bottes à embout d'acier contre des sandales.

— Qu'est-ce que tu fais?

— J'installe un ventilateur au plafond pour aspirer la fumée.

— Mais c'est interdit de fumer.

Un soupir.

— C'est ce qu'on pourrait appeler un accommodement, *beta*.

Sumac est déconcertée.

— S'accommoder, c'est se contenter de ce qu'on a, non? Tout le monde s'accommode de toutes sortes de choses ici.

— Ça veut aussi dire faire de la place à quelqu'un.

La perceuse émet un bruit strident.

— Assouplir une règle, se rencontrer à mi-chemin, *partager les différences*.

— Comme ça, Gripette a le droit de fumer maintenant? grince Sumac, offensée.

— Le ventilateur devrait empêcher la fumée de se répandre.

Conclure un accommodement, ça veut dire céder, au fond. (Donner de la mousse au chocolat à Bruno après qu'elle a fait une crise et s'est frappé la tête contre la table, par exemple.) Partager les différences afin que personne ne soit heureux : les Loteau préféreraient ne pas respirer de toxines nauséabondes chez eux et Gripette, lui, aimerait mieux vivre là où il pourrait fumer quand ça lui chante.

Le pouls de Sumac accélère parce qu'elle vient d'avoir un éclair de génie.

Quand Mamandine a parlé d'*endroits où il serait peut-être plus heureux*, elle faisait allusion aux *résidences* pour les aînés. Mamenthe a dit que *des étrangers s'occuperaient de lui* plutôt que *sa propre famille*, mais ça n'a pas fonctionné, n'est-ce pas, parce qu'aux yeux de Gripette, les Loteau ne sont pas *sa famille*, mais des *ravisseurs bizarroïdes*.

Sumac n'a donc pas besoin d'amener ses parents à changer d'idée. Elle n'a qu'à s'organiser pour que le grand-père dise que s'il n'est pas autorisé à retourner au Yukon, il préférerait vivre dans une de ces *résidences* où il serait au moins un tout petit peu heureux, parce qu'on tirerait toujours la chasse d'eau.

Elle entend un fracas et se rue dans la galerie des miroirs.

Dans l'escalier, Mamenthe, tenant Chêne dans ses bras, supervise Aubépine qui balaie des tessons de verre.

— Pas avec tes mains, Bruno!

— Moi aide.

— Tiens le porte-poussière pour Aubépine, répond Mamenthe. Comme ça, tu l'aideras.

La porte s'ouvre et Papaye entre suivi de son père.

— Qu'est-ce que c'est que ce raffut?

— Des verres à vin sont accidentellement tombés de leurs étagères, répond Aubépine.

— Ça ne s'est pas passé comme ça, dit Mamenthe.

— Je faisais une expérience de physique, explique Aubépine. Je voulais voir si la gravité ferait couler l'eau sur une mèche d'un verre à l'autre dans l'escalier, mais Ardoise m'a chatouillée et j'ai trébuché sur le fil.

La tête d'Ardoise apparaît sous le col d'Aubépine.

Gripette contemple la scène avec dégoût.

Sumac décide que tout ce chaos est magnifique. Plus le vieil homme sera mortifié par la vie à la Cameloterie, plus il sera facile de le convaincre de demander à déménager. Elle se faufile vers lui et lui glisse à l'oreille :

— Parfois, elle chante la même chanson pendant… une demi-heure? Des heures? Des *journées* entières?

Le grand-père sursaute.

— Qui?

— Aubépine.

Elle désigne sa sœur du doigt au cas où il aurait oublié qui elle est.

— Elle ne s'en rend même pas compte quand elle se décrotte le nez et s'essuie la main sur le mur.

— Je n'aime pas les porrrte-paniers, petite mamzelle parrrfaite.

Sumac est piquée au vif.

— Je ne voulais pas… nous avons tous nos défauts, je veux dire, bafouille-t-elle. Sapin enseigne de gros mots au perroquet et vous ne pouvez imaginer à quel point Sic pue des pieds. Catalpa est fainéante, et moi…

Elle essaie de choisir juste une des choses que lui reprochent ses frères et sœurs.

— Je suis parfois une Madame Je-sais-tout passablement pompeuse.

Gripette glousse de rire.

Elle n'avait pas l'intention de l'amuser. C'est absolument sérieux.

— Ce doit être plutôt effrayant d'habiter avec nous au lieu de vivre tout seul, reprend-elle. Nous, nous avons l'habitude et nous ne connaissons rien d'autre. Mais pourtant nous nous tombons mutuellement sur les nerfs.

— Je ne l'ai pas fait exprès, répète joyeusement Aubépine.

— Entre accidentellement et par exprès, il existe une zone grise appelée négligence, déclare Mamenthe de sa voix d'avocate.

— Qu'est-ce que…

— Étourderie, Aubépine Elspeth! dit Papaye qui essaie d'être drôle sans vraiment y parvenir.

Gripette se tourne vers lui.

— Ta mère Elspeth?

— Aubépine Elspeth Aubépine Elspeth Aubépine Elspeth, psalmodie Aubépine comme si c'était un exercice de diction particulièrement difficile. Le deuxième nom de Catalpa est Ajesh, comme notre tante, Sapin porte celui de Michel en l'honneur d'un ami décédé de Papadum, et Sic, celui de Tecumseh qui a pris Détroit.

— Je suis Portia, d'après une pièce de Shakespeare et c'est aussi le premier ministre de la Jamaïque, ajoute Sumac. Le deuxième prénom de Bruno est Brigitte et Chêne s'appelle Charles parce que ce sont les noms que leurs mères leur avaient donnés à leur naissance.

Gripette ignore tout cela et se tourne vers Aubépine en fronçant les sourcils.

— Cette enfant n'a même jamais rrrencontré Elspeth.

— Tu as raison, papa, et c'est dommage, dit Papaye.

Le silence s'éternise. Sumac se dit que le vieil homme devrait se réjouir que quelqu'un se rappelle suffisamment son épouse pour transmettre son nom. Mais non, Gripette se comporte comme si on lui avait encore volé quelque chose. Alors que, en réalité, le voleur, c'est lui. Les Loteau étaient dans une jarre, comme un trésor en Mésopotamie; il a fait irruption dans leur vie et a brisé le sceau.

Sumac enjambe les tessons et monte jusqu'à sa nouvelle chambre. (Ou plutôt sa cellule d'exilée.) En grandes majuscules, elle commence à faire la liste des choses qui rendraient une *résidence* acceptable pour son grand-père.

PERSONNE AVEC DES TATOUAGES
PAS DE GRAINS ENTIERS OU DE « LÉGUMES ÉTRANGERS »
PAS DE FOUINARDS
PAS DE FOUILLES DANS LES POUBELLES
PAS D'OBLIGATION D'AVALER DES PILULES
PERSONNE POUR LE HOUSPILLER OU LUI DONNER DES ORDRES
PAS D'ANIMAUX HANDICAPÉS
PERSONNE AU-DESSOUS DE 18 ANS

N'est-ce pas un peu négatif? Oui, mais c'est parce que Gripette est négatif.

Sumac essaie de penser à des choses positives qui rendraient l'un de ces *foyers* plus accueillants pour lui que la Cameloterie. Le fait de ne pas aimer les enfants signifie-t-il que Gripette apprécie la compagnie de personnes âgées, ou pas nécessairement? La plupart des choses qu'elle sait qu'il aime (les tasses de thé, les sablés, les mots croisés faciles, la musique classique), il peut les avoir ici. Mais qu'est-ce qu'il ne peut trouver? La *paix* et le *calme*. Elle les ajoute à sa liste.

LES FLEURS SAUVAGES DU YUKON
LE PAIN BLANC
LES PÂTES BLANCHES
TOUTES LES PERSONNES DE RACE BLANCHE

Sumac ne peut imaginer un endroit comme ça, de nos jours. Gripette a peut-être besoin d'une machine à remonter le temps. Mais s'il pouvait retourner en arrière, il ne demanderait sans doute pas d'aller vivre dans une résidence pour aînés. Il irait directement chez lui à Faro, mais trente ans plus tôt, quand Elspeth vivait encore. Non, en fait, quarante ou cinquante ans en arrière, comme ça il aurait assez de temps avec elle avant qu'elle ne meure de nouveau.

À présent, Sumac a pitié de lui. *Grrr.* Elle doit rester concentrée. C'est comme si son grand-père était un malheureux béluga et qu'elle devait trouver un nouveau groupe auquel il pourrait se joindre. Ou bien non, elle est encore son chien-guide, mais elle doit le guider vers le lieu qui lui convient le mieux, en lui donnant de petites poussées.

Elle consulte des sites Web. C'est encore plus difficile que l'ancien sumérien, quand elle essaie de comprendre les différences entre les modes de vie *autonome, adulte* et *assisté.* Elle doit l'admettre, avoir une chambre dans le grenier est positif puisque personne ne vient fouiner ou l'interrompre.

Jusqu'au moment où Mamandine frappe à la porte pour lui dire qu'elle a passé assez de temps à l'ordi. Elle lui annonce aussi, en passant, qu'Aubépine s'est fatiguée d'attendre qu'elle vienne terminer leur maquette et qu'elle a joué avec l'histoire en détruisant Toronto avec un météorite massif.

Les Loteau semblent toujours se préparer à aller au parc au moment le plus chaud de l'après-midi. Sumac se demande pourquoi.

Dans la galerie des miroirs, ils croisent Sic qui met du mastic, des pinces à ressort et d'autres pinces dans sa ceinture porte-outils.

— Tu as tes couteaux de vitrier? lui demande Papadum.

— Le couteau à lame flexible et celui à lame rigide, répond Sic en les sortant de sa ceinture comme un ninja.

Sur le tee-shirt qu'il porte aujourd'hui, on peut lire *Devant derrière.*

Sumac regarde derrière lui pour voir ce qu'il a écrit dans son dos. *Haut*, peut-on lire à l'envers.

— C'est quoi, ton projet?

— Réparer la fenêtre de Mme Zhao. Sapin et moi l'avons cassée ce matin en jouant au basketball à une main.

Elle le regarde d'un air compatissant.

— Ne te contente pas d'apporter ces lunettes de sécurité, lui dit Papadum. Mets-les.

— Tu m'as bien enseigné comment il faut faire, Obi-Wan Kenobi, répond Sic en s'inclinant. J'entreprends donc mon périlleux périple vers le pays de Zhao…

Le parc n'est qu'à cinq minutes de marche, mais Sumac est déjà en nage.

Papaye commence à concrétiser sa dernière brillante idée : une corde raide entre deux arbres, à hauteur du genou, comme ça, si on tombe, on ne se fera pas trop mal. Il met du papier bulle sous les nœuds pour ne pas endommager l'écorce des arbres.

— Garde-la à l'horizontale pendant que je la resserre, dit Mamenthe.

— Elle est à l'horizontale, répond Papaye. Si elle paraît inclinée, c'est parce que tu es penchée au-dessus.

Elle étudie le diagramme dans la brochure et pousse un grognement de frustration.

Papaye se relève et fait vibrer la corde de nylon tendue entre les deux arbres.

— Impeccable.

— *Avancez à tous petits pas*, lit Mamenthe.

— Bof! J'ai marché sur des murets cinq fois plus hauts que ça, dit Catalpa.

Elle pose un pied nu sur la corde et se redresse, gracieuse comme une acrobate. Elle fait un pas en avant… perd l'équilibre et atterrit à plat ventre dans l'herbe.

Sumac se mord les lèvres pour ne pas rire.

— Moi, moi! hurle Bruno.

Papaye la persuade de lui tenir la main, juste pour son premier essai, et elle réussit à se rendre au bout de la corde.

Aubépine fait environ trois pas en trottinant avant de s'écrouler. Elle tombe de travers et annonce stoïquement qu'elle s'est cassé la cheville, ce que tout le monde ignore.

Sumac tente de faire ce qui est recommandé dans la brochure : se tenir immobile sur une jambe sur la corde et regarder fixement un point devant soi.

— C'est mon deuxième tour! crie Aubépine.

— Non, ça ne l'est pas.

— Tu ne bouges même pas.

— Je trouve mon équilibre, répond Sumac en remuant à peine les lèvres.

— Puis-je marcher à partir de l'autre côté vu que tu ne l'utilises pas?

— Non!

Sumac se penche un peu… mais la corde se soulève de côté et elle doit descendre dans l'herbe.

— Un résultat de zéro centimètre pour Sumac Loteau, un échec qui bat tous les records, croasse Aubépine.

— On appelle ça une chute contrôlée, rétorque Sumac.

Elle aurait aimé que Sapin vienne aujourd'hui; elle lui aurait parlé de son plan secret pour inciter Gripette à exiger de quitter la Cameloterie, mais — à douze ans, il est trop cool —, il a déclaré que les parcs, c'est pour les enfants. Elle est tentée de se confier à Bruno, mais les gamins de quatre ans sont horriblement honnêtes et Bruno pourrait bien tout raconter aux parents, voire à Gripette lui-même.

Sumac va donc s'accroupir à côté de Catalpa et lui chuchote :

— Hé! J'ai une idée pour nous…

Elle s'interrompt parce que *nous débarrasser* semble mesquin.

— Pour que Gripette déménage, pour le convaincre de le demander, tu vois?

Elle attend que sa sœur réagisse. Quand elle réalise que Catalpa a ses écouteurs sur les oreilles, elle lui tapote le bras — sa sœur est toute vêtue de noir, comme d'habitude.

Catalpa sursaute comme si on l'avait poignardée et arrête sa musique.

— Quoi?

Puis elle interrompt Sumac avant qu'elle ait terminé la moitié de son explication.

— Oh! Laisse le vieux tranquille.

— Tu as dit que c'était totalement antidémocratique de l'héberger.

— C'était il y a des semaines. Il ne fait de mal à personne.

Pour Catalpa, c'est facile à dire : elle passe la plupart de son temps avec son *groupe musical* et elle n'a pas été obligée de renoncer à sa tourelle.

— Tu n'as vraiment rien de mieux à faire? conclut Catalpa.

Puis elle bâille derrière sa main aux ongles laqués noirs et retourne à sa musique.

Sumac inscrit mentalement Catalpa au dernier rang dans la liste des membres de sa famille classés par ordre de préférence, et ce n'est pas la première fois. Bon, pas tout à fait au dernier rang puisqu'elle est encore au-dessus de Gripette, mais il ne compte pas.

Sumac plisse les yeux vers la corde, sur laquelle Aubépine a réussi à faire quatre pas de suite. Personne ne peut lui enseigner quoi que ce soit, mais elle parvient parfois à s'auto-enseigner des choses très vite. Alors que Sumac préfère apprendre le genre de truc qui ne lui laisse pas des brindilles plantées dans les tibias.

Mamandine tombe et inspire profondément avant de se relever et d'épousseter son short.

— *Tombe sept fois, relève-toi huit fois,* déclame-t-elle.

Sumac fronce les sourcils.

— C'est absurde, crie-t-elle. Quand on tombe sept fois, on se relève seulement sept fois.

— Les pensées zen sont très mystérieuses, dit Papaye. Le son d'une seule main qui applaudit. Le visage que tu avais avant la naissance de ton père et de ta mère.

— Qu'est-ce que ça peut bien vouloir dire? demande Sumac.

— Il n'en a aucune idée, répond Mamandine.

— Quel bruit fait un père qui jacasse quand personne ne l'écoute? demande Aubépine qui enjambe la corde raide et y remonte.

Sumac invite sa sœur à venir bavarder tranquillement derrière un arbre.

Aubépine apprécie beaucoup plus que Catalpa le plan de Sumac.

— On va se déguiser avec des draps et le convaincre que la Cameloterie est hantée.

— Ne sois pas ridicule. On se croirait dans *Scooby Doo*.

— Je pourrais allumer des pétards sous son lit…

— Pas question de mettre sa vie en danger, lui dit sévèrement Sumac. Et quoi que tu fasses, n'en parle pas aux parents avant que j'aie trouvé une très bonne résidence pour lui.

Puis elle ajoute, soudain mal à l'aise à l'idée que son grand frère bien-aimé pourrait ne pas comprendre qu'elle fait tout ça pour le bien de Gripette :

— Pas un mot à Sic non plus.

— Motus et bouche cousue, promet Aubépine en faisant le geste de remonter une fermeture éclair devant sa bouche. Hé! Je pourrais me tenir à côté de Gripette chaque fois que j'ai envie de péter. Ou bien, je pourrais cacher Ardoise dans sa chambre et il serait fou de terreur! Et on pourrait mettre un portefeuille dans son lit comme on le fait dans les vieux livres.

C'est au tour de Sumac d'aller marcher sur la corde raide. Elle n'a pas eu le temps d'expliquer qu'un lit en portefeuille, c'est quand les draps sont repliés de façon à ce qu'on ne puisse s'y allonger entièrement et qu'il n'y a pas de vrai portefeuille dedans.

Elle parvient à faire un pas sur la corde avant de tomber de côté.

— Ah! Cette corde est mal fichue!

— Non, c'est merveilleux, nous apprenons tellement, dit Mamandine en retirant un éclat de faîne de son coude.

— Tu veux dire que, encore une fois, nous nous humilions devant tout le voisinage, se lamente Catalpa.

C'est vrai, la corde raide a attiré les enfants comme la musique d'un camion de crème glacée. Il y a même un groupe de personnes âgées avec leurs cannes dont le bas ressemble à des griffes. Un tout petit garçon rôde à proximité.

— Tu veux essayer? lui propose Papaye avec un geste gracieux de la main.

On dirait Sir Walter Raleigh accueillant la reine Elizabeth.

Le bambin trottine sur la corde comme sur une ligne tracée à la craie.

— Eh bien, voilà! s'exclame Papaye en applaudissant.

De mauvaise grâce, le reste de la bande se joint à lui. Ils n'ont pas le choix.

— Je crois que la corde devrait être moins tendue, dit Mamandine.

— Plus tendue, dit Papadum.

Il vient d'arriver avec Chêne qui rampe sous la corde en bavant de plaisir.

Sumac perd sa bonne humeur à la vue de Gripette derrière les nouveaux venus. Le vieil homme s'installe sur le banc le plus éloigné, comme s'il ne connaissait pas les Loteau.

Mais plus il a honte d'eux, mieux c'est pour le plan secret de Sumac…

Elle va à son tour s'asseoir sur le banc, à quelque distance de lui.

— On passe notre temps à faire ce genre de trucs bizarres en public, dit-elle.

Il lui lance un regard oblique, et elle se tortille sur le banc.

Un peu plus loin, Papaye a enlevé sa chemise et il se débat avec le fil. Avec sa tête rasée et ses tatouages décolorés, il pourrait presque faire peur si on ne savait pas combien il est doux.

— Saviez-vous que votre fils a en tout onze tatouages? reprend Sumac. Les quatre éléments — c'est le feu sur sa nuque, mais l'orangé a été presque entièrement brûlé par le soleil, et un croissant de lune sur son genou gauche, vous voyez? Sur le droit, c'est le soleil levant…

— Dieu du ciel, murmure Gripette.

Ça fonctionne à merveille.

— Il a un oiseau sur la main gauche, mais il est presque effacé, et sur son bras droit, c'est une carpe koï japonaise qui se métamorphose en dragon. Il y a… plein de cœurs avec les noms de ses ex-petits amis, ajoute-t-elle. (Là, elle exagère parce qu'il n'y en a qu'un.) Oh! Et le monstre au bas de son dos, c'est pour accepter son côté sombre. Il a Betty Boop sur le ventre, mais elle a un peu perdu sa forme parce que, apparemment, on ne doit jamais se faire tatouer à un endroit qui va devenir flasque. Et puis, les lignes noires sur son mollet gauche représentent Ötzi, une momie de cinq mille ans dans les Alpes qui avait soixante et un tatouages.

Les yeux chassieux de Gripette sont grand ouverts. Il semble atterré.

Sumac s'aperçoit que Bruno est à la hauteur de son coude.

— Quoi? demande-t-elle avec impatience.

La petite main s'ouvre, juste un peu.

— On ne voit rien, dit Sumac en desserrant un peu les doigts pas très propres de sa sœur.

Un petit éclat bleu apparaît.

— Trouvé dans le sable, mais pas pour Belle Agnès, dit Bruno. Garde pour moi.

Tout ce qu'on trouve au parc et qui n'appartient à personne est déposé au pied du monument funéraire de Belle, une fillette qui habitait dans l'immeuble tout près et qui est morte à deux ans et demi. Le monument est en gneiss; comme le mot ressemble à *Agnès*, les enfants l'appellent Belle Agnès.

— Mais peut-être à *lui*, suggère Bruno en indiquant leur grand-père d'un signe de tête.

Sumac se sent à la fois irritée et attendrie.

— Non… c'était seulement… son cerveau n'est pas fait d'une vraie boule qu'il a perdue, rappelle-toi, chuchote-t-elle à l'oreille de Bruno. C'est juste une expression.

Bruno secoue la tête, l'air de dire que sa grande sœur est vraiment stupide.

— Mieux lui redonner.

— Mais Bruno…

La petite caresse la roche d'un doigt sale avant de contourner Sumac et de se planter devant Gripette. Le cou émergeant du camion de carton rouge semble si fragile. *S'il vous plaît, ne le laissez pas arracher sa petite tête*, songe Sumac.

Bruno tend sa paume sur laquelle est posée la bille.

Le grand-père la saisit.

— Ah! Une jolie petite bleue à tourrrbillon. Quand elles sont aussi petites, on les appelle minis. J'en avais des tas. Des boulets, des boularrrds, des torrrtues, des berrrlons... un grrros œil du diable, deux ou trois bourrrdons. Perrrsonne ne voulait rien savoir des opaques. Les sanglantes étaient mes prrréférrrées, sinon les fantômes verrrts.

Jamais Sumac ne l'a entendu parler autant.

— Ma collection était légendairrre. Qu'est-elle devenue?

— Toi les as perdues, lui rappelle Bruno.

Gripette fait tourner la petite boule entre ses gros doigts aplatis.

— On les échangeait, continue-t-il. Ou bien on jouait à tic, où il fallait écrrraser les billes des autres.

— Elle toute seule, dit Bruno. Toi fais quoi avec une?

— Il y avait un jeu qui s'appelait la capite avec quatrrre trous... Ne compliquons pas les choses et commençons avec un trrrou.

— Trop dur pour faire un trou, proteste Bruno.

— Non, non, un trrrou dans autre chose, pour que la bille puisse y rouler. Tiens, ça, par exemple, dit Gripette.

Il prend un gobelet de polystyrène dans la poubelle et y enfonce l'ongle de son doigt.

Il joue, se dit Sumac, incrédule. *Et avec une chose prise dans les ordures!*

Le lendemain matin, elle regrette de s'être confiée à Aubépine. Franchement, si sa sœur avait comploté pour assassiner Jules César, elle aurait rassemblé les conjurés dans la mauvaise rue, dans la mauvaise direction, avec des cerfs-volants plutôt que des poignards.

Au petit déjeuner, Aubépine dépose un bol devant Gripette en souriant comme une serveuse obséquieuse et fait un clin d'œil à Sumac.

— Vos céréales préférées avec un petit quelque chose de spécial.

Sumac saisit le bol au moment où Gripette y trempe sa cuillère. La cuillère vole par-dessus la table et atterrit sur les carreaux en les éclaboussant de lait.

Tout le monde la regarde.

— Désolée, s'écrie-t-elle. Il… ah! Il y avait un peu de nourriture séchée sur le bord.

— Ça ne m'aurrrait pas dérrrangé, dit Gripette en reniflant.

Mais Sumac est déjà en train de vider le bol dans la poubelle. Elle en trouve un autre qu'elle remplit de céréales et essuie le plancher.

Gripette a mangé la moitié de son bol quand Sumac chuchote à Aubépine :

— Qu'entendais-tu par *quelque chose de spécial?*

— Juste quelques grains du bac de sable.

Sumac lui donne un coup sur l'épaule.

Aubépine la frappe encore plus fort au plexus solaire et Sumac se plie en deux.

— Le sable ne le tuerait pas à moins qu'il en mange des kilos.

— Plus jamais d'empoisonnement! murmure Sumac en regardant sa sœur dans les yeux.

— Surveillez vos manières ou sortez de table, ordonne Mamandine.

— De toute façon, j'ai fini, dit Aubépine qui n'a mangé que quelques bouchées de son sandwich matinal.

Son assiette dans une main, elle jongle avec ses croûtes jusqu'à l'évier.

Plus tard ce matin-là, Sumac ramasse les vêtements sales, une de ses tâches préférées : elle prend les sacs déposés à la porte des chambres et les lance dans l'escalier jusqu'au paradis des chaussettes au sous-sol.

Elle entend un bruit de balles dans la salle de jeu. Elle va y jeter un coup d'œil et trouve Aubépine qui joue à un jeu qu'elle appelle ricochet, c'est-à-dire le billard, mais sans queue.

— Super colle, chantonne Aubépine.

— Qu'est-ce que tu as fait encore? demande Sumac. Un sale tour?

Aubépine dessine un grand rectangle dans les airs. Puis elle fait semblant d'essayer d'ouvrir une porte, fronce les sourcils, et se débat avec la poignée.

— Tu n'as pas fait ça!

— Ça va l'embêter, c'est garanti, affirme Aubépine.

— Quelle porte? demande Sumac, découragée.

— Ben voyons, celle de Gripette.

— Est-il dans sa chambre?

La réponse lui est donnée quand elle entend deux gros coups au rez-de-chaussée, au-dessus d'elles, puis le bruit d'une porte qui claque contre un mur.

— J'imagine qu'il en est sorti, maintenant, dit Aubépine, déçue. Le vieux rue comme une mule.

— Plus jamais d'idées brillantes, la supplie Sumac.

Elle se hâte de retourner au paradis des chaussettes et s'occupe à remplir la deuxième machine à laver. Comme ça, elle pourra faire semblant de ne rien avoir à faire avec ça.

— Seulement si elles sont *ultra*-brillantes, crie Aubépine de l'autre côté du mur.

Mais personne ne vient chercher Sumac, la cloche ne sonne pas, le sifflet de police non plus (utilisé en cas d'urgences familiales). Le vieil homme ne s'est sans doute pas plaint aux parents à propos de sa porte collée. Il doit penser que ce genre de chose arrive dans une maison de cent trente ans.

Quand, un peu plus tard, Sumac passe devant la gripetterie, la porte est grande ouverte; impossible de voir la petite ligne de colle brillante si on ne la cherche pas.

Plus d'une voix à l'intérieur.

— Pas plus grrros que ton ami à trrrois pattes, là…

Parle-t-il de Diamant? Sumac s'approche de la porte.

— … n'empêche que ce gars est capable de tuer un chevrrreuil, dit Gripette.

— Sérieusement? demande Sapin.

Son chien et lui contemplent une série de grosses caisses remplies de billes de styromousse qui occupent presque tout le plancher.

— Pour lui, ce n'est pas un prrroblème. Il y en a eu un dans le norrrd qui a étouffé un ours polairrre en le morrrdant à la gorrrge.

— Mais un ours polaire est au moins dix fois plus gros que lui. Vingt fois. *Impossible.*

Sapin le dit comme s'il voulait le croire. Il sort maintenant quelque chose de la caisse.

Une tête! Sumac recule. Empaillée avec des yeux en verre. Un horrible groin d'animal avec un léger masque de poils argentés. Sapin le regarde en souriant, nez à nez.

Le grand-père plante un crochet dans le mur — *son* ciel bleu, comme Sumac continue de le considérer — et un petit jet de vieux plâtre jaillit du trou. *Une personne qui a le cerveau comme du gruyère a-t-elle le droit de se servir d'un marteau?* se demande-t-elle.

— C'est… un genre d'ours? demande-t-elle, troublée de ne pas le savoir.

Gripette plisse les yeux.

— Qui t'a invitée à entrrrer, mamzelle?

— Je me demandais, c'est tout, bredouille-t-elle, la gorge serrée. *Il n'y a pas de questions stupides.*

Il renâcle comme s'il n'était pas d'accord.

— C'est un carrrcajou, dit-il en prenant l'horrible tête des mains de Sapin pour l'accrocher au mur.

Diamant aboie furieusement.

Sumac fronce les sourcils. Les carcajous ne sont-ils pas une espèce en danger?

— Il a des dents obliques au fond pour déchiqueter la charrrogne gelée, explique Gripette.

Sapin plonge son doigt dans la gueule noire.

— Elles sont pointues!

— Sinon, elles ne serrrviraient pas à grand-chose, rétorque Gripette.

— C'est apparenté au loup? demande Sumac.

— Plus prrroche de… comment ça s'appelle, répond Gripette en se donnant des claques sur la jambe comme s'il voulait en faire sortir le mot. Excusez mon charrrabia.

— Votre quoi?

— La langue m'a fourrrché, dit Gripette comme s'il se parlait à lui-même. Ce mec est le grrrand frrrèrrre du tout petit aux longues pattes…

Qu'est-ce qui est *tout petit* avec de longues pattes? Pas une araignée, de toute évidence.

— Un lévrier? suggère Sumac.

— Non, répond-il, l'air méprisant. Il vole des œufs. Bo… ba… barrette. Belette!

Il a presque hurlé le mot.

— Le carrrcajou est un genrrre de belette, ajoute-t-il en lui tapotant le museau.

— Puis-je accrocher le suivant? demande Sapin.

— Non, *cerrrtainement* pas.

— Nous nous servons tous d'outils électriques dès l'âge de, disons, huit ans, fait valoir Sapin.

— Mmm, je suppose que vous apprrrenez une ou deux choses utiles à parrrt toutes ces absurrrdités mésopotamiennes.

Sumac serre les lèvres.

En tâtonnant un peu, Gripette insère un clou dans le crochet suivant et l'enfonce dans le mur de trois coups de marteau bien nets. Il sort un crâne orné de cornes très recourbées d'une autre caisse et l'installe sur le crochet.

— Un des célèbrrres mouflons de Faro.

Quel genre de monstre abat des mouflons comme passe-temps? se demande Sumac. Il est en train de transformer sa jolie chambre en tombeau.

— J'aimerais vraiment aller chasser un jour, dit Sapin en soulevant une tête de caribou. Mais les parents sont tous très prudents quand il s'agit d'autre chose qu'un fusil Nerf...

— Ton père tirrre pas mal.

— Papaye? s'écrie Sumac, consternée.

— Vous voulez rire, dit Sapin.

— C'était avant que le monde devienne *végétarrrien*, déclare Gripette sur un ton méprisant.

— Hé! Ce soir, vous voulez venir faire de l'observation...

— Position? Au baseball, tu veux dirrre? Dans mon temps, je jouais surrrtout au football.

— Non, ni l'un ni l'autre. De l'observation. Nous observons des chauves-souris. Dans High Park, au coucher du soleil.

Et Sapin se met à décrire de long en large la collecte, par des jeunes de son âge, de données dans le cadre du projet de protection des chauves-souris urbaines, bla-bla-bla, et ça énerve vraiment Sumac de voir son frère devenir tout à coup copain-copain avec l'ennemi. Elle attendait le moment propice pour demander à Sapin de l'aider à réaliser son plan secret et faire déménager Gripette. On dirait bien qu'il est trop tard maintenant.

Nuzu egalla bacar, récite-t-elle dans sa tête. Les ignorants sont terriblement nombreux dans ce palais.

CHAPITRE 10

LES BILLES

Ces jours-ci, même quand les Loteau font ce qu'ils font d'habitude en été, Sumac n'en profite qu'à soixante-quinze pour cent à cause de Gripette qui critique tout. Au festival de Chinatown, par exemple, il s'assoit sur un banc (« trop dur ») et fait un mot croisé (« trop facile ») en grignotant du poulet aux noix d'acajou (« trop épicé ») au lieu de les accompagner dans une chasse au trésor maraîchère. (Les jeunes doivent relever le triple défi de trouver et d'acheter un fruit du dragon, des pois doux (dont le goût rappelle la crème glacée à la vanille) et un durian hérissé et puant. Gripette regarde à peine le dragon de trente mètres qui caracole dans le défilé. Sumac se demande ce qui pourrait bien lui plaire.

Le lundi, la moitié de la famille se rend au magasin de jouets *Hiboux, joujoux, poux* afin d'acheter des cadeaux pour l'anniversaire de Chêne. Bruno est autorisée à venir dans son camion de pompier à condition de le laisser dehors pour ne pas bousculer des articles sur son passage. Elle accepte.

— Moi *conduis* au magasin de jouets et *stationne* dehors, dit-elle.

— C'est exactement ce que je disais, approuve Mamenthe.

Devant la maison, ils attendent Sic qui ne trouve pas de chaussettes désassorties.

— Il faut toujours qu'il porte des chaussettes dépareillées, explique Sumac au grand-père, convaincue que c'est encore une chose qu'il pourrait trouver *bizarre.* Et Aubépine met ses sous-vêtements à l'envers, et...

— Ferme-la, lui ordonne celle-ci en rougissant. C'est pour que les étiquettes ne frottent pas sur ma peau.

Aujourd'hui, le tee-shirt d'Aubépine est à la fois à l'envers et devant derrière, remarque Sumac.

— Quant à Catalpa, elle ne s'habille qu'en noir à la mode gothique. Bruno, elle, choisit toujours des vêtements de garçon, évidemment. Avez-vous vu la robe à rubans que Mamenthe a mise l'autre soir quand elle est allée au gala? Et elle a un col brodé.

— Qu'est-ce qui te prend? persifle Catalpa. Tu tiens un blogue de mode maintenant?

Mamandine dévisage Sumac d'un air perplexe.

— Dépêche-toi, Sic! crie Papaye. Il ne me reste peut-être que quarante ans à vivre!

— Mets une de tes chaussettes à l'envers, vocifère Aubépine en avançant sa tête dans le vestibule. Comme ça, elle sera d'une texture différente!

Sic dévale finalement l'escalier et saute par-dessus la dernière barrière pour enfant. Il a retourné une de ses chaussettes à l'envers.

— Pourquoi ne portes-tu pas des sandales, tout simplement? demande Papaye en remuant ses orteils poilus.

Sic secoue la tête en mettant ses chaussures de sport.

— N'insiste pas, vieil homme. Si je dois commencer à expliquer la philosophie de mes fringues...

— Pouvons-nous juste y aller? demande Mamandine.

Nouvel arrêt deux rues plus loin : Mamenthe ne peut pas passer devant un mendiant sans se lancer dans une longue conversation avec lui tout en lui donnant un billet de vingt dollars.

— Au début, Mme Zhao pensait que j'étais bien trop jeune pour utiliser un pistolet à air chaud sur sa fenêtre, fait remarquer Sic, mais elle s'est radoucie quand j'ai installé la vitre. Elle avait l'impression qu'on était une bande de paresseux qui ne faisaient rien d'autre que sauter sur nos bâtons sauteurs. Alors, je lui ai expliqué que je suivais un cours de trigonométrie avancée. Vous savez ce qu'il y a dans les caisses qu'elle empile toujours dans l'auto-caca?

— Des mangues, devine Aubépine au hasard.

— De la fausse monnaie, suggère Sumac.

— Des poupées personnalisées, dit Sic.

— Comment ça, personnalisées? Elles ont un nom, tu veux dire? demande Sumac, éberluée.

— Plus que ça! Tu envoies la photo de ton enfant et Mme Zhao bricole une poupée avec les bons cheveux, la bonne couleur de peau, la chemise, tout. Elle imprime le visage sur le tissu…

— Sinistre, décrète Catalpa tout en lisant un message sur son téléphone.

— Les poupées se vendent comme des petits pains, rétorque Sic.

Aubépine se met à chanter « Feu, feu, joli feu ». Elle aime chanter des chansons de feu de camp de plus en plus vite, comme elle le fait avec son jeu de ficelle, mais Sic l'interrompt et entonne « Buvons un coup » et Sumac ne peut s'empêcher de chanter avec lui.

Buvons un coup ma serpette est perdue
Mais le manche, mais le manche est revenu.
Bava sa cap ma sarpat a parda
Ma la mache…

Mamenthe est la première adulte à perdre patience.

— Ça suffit!

— *Am stram gram.*

Tout le monde se tourne vers Gripette.

Les yeux dans le vague, le vieil homme marmonne les mots de la comptine.

— *Pic et pic et colegram, bour et bour et ratatam, am stram gram.* C'est TOI! dit-il en indiquant Papaye. C'est comme ça qu'on choisissait le cherrrcheur quand on jouait à cache-cache.

— Là-bas, à Glasgow? demande Mamandine.

— Un tas de bêtises, maugrée-t-il au lieu de répondre et son visage se ferme de nouveau.

Le téléphone de Sic fait entendre sa drôle de musique.

— Oh! Merci de me rappeler, Jag! Ouais, rien de spécial...

Il s'éloigne du groupe.

— Si ce *Jag* est Jagroop, le frère de Papadum, tu dois l'appeler Taya, tout comme tu appelles son frère cadet Chacha, dit Mamandine à voix haute.

— Pourquoi faut-il que les noms de famille indiens soient si compliqués? demande Catalpa d'une voix plaintive.

— La famille est compliquée, répond Papaye avec un sourire. L'anglais camoufle cette évidence en employant si peu de mots pour décrire ses membres.

Mamenthe prend congé du sans-abri et revient vers la famille.

— Allons-y, dit-elle comme si ce n'était pas elle qui les faisait attendre. Sic nous rejoindra.

— Je vais attendre ici, annonce Gripette quand ils arrivent devant le magasin de jouets.

— Es-tu déjà entré dans un magasin de jouets, papa? lui demande Papaye.

— Pas que je m'en souvienne.

— C'est vrai, *moi* je me souviens d'avoir beaucoup joué avec des cailloux, dit Papaye.

— Ça stimulait ton imagination, pas vrrrai? dit Gripette.

— Alors, faisons le tour du pâté de maisons pour nous dégourdir les jambes, Ian, suggère Mamandine.

— Je n'ai pas les jambes engourrrdies, réplique-t-il.

Et il s'adosse contre la façade.

Sic arrive au petit trot.

— Pas de chance avec Taya? demande Catalpa en lisant la déception sur son visage. As-tu l'intention d'appeler tous les gens que tu fréquentes dans le grand Toronto et de les harceler pour qu'ils t'apprennent à conduire?

— Tous ceux qu'il connaît, rectifie Mamandine. Plus tôt, je l'ai entendu baratiner son ancien professeur de tennis.

— Ton grand frère est comme un chien avec un os, dit Papaye à Chêne en couvrant de bisous la tête moite de sueur du bébé.

— Ça me rappelle un jeu de tape-taupe, soupire Sic. Bang! bang! vous réduisez tous mes espoirs à néant.

— Pourquoi n'offrirais-tu pas quelque chose en échange des cours de conduite? suggère Mamenthe. Comme ça, tu ne serais pas un parasite.

— Quoi, *parasite?* demande Bruno.

— Quand tu sautes d'un avion, ça t'empêche de t'écraser, lui répond Aubépine.

Les Loteau ne peuvent s'empêcher de rire, même si Bruno semble incontestablement inquiète.

— Ça, c'est un *parachute*, explique Mamandine, et aucun de vous ne va sauter d'un avion.

— Pas avant mon dix-huitième anniversaire, ajoute Sic avec un petit sourire.

— Un parasite, c'est quelqu'un qui prend tout sans rien donner, intervient Mamenthe. Comme une sangsue, ou un ver qui vit dans tes intestins…

— Bravo, tu vas donner des cauchemars à Bruno, dit Papaye. C'était mieux quand on sautait des avions.

— Maintenant, gare ton camion de pompier à côté du magasin, rappelle Sumac à sa petite sœur.

— Toi le surveilles? demande Bruno à Gripette.

Il ne dit pas non.

Bruno lève le camion par-dessus sa tête — heureusement, elle porte un tee-shirt — et le dépose avec précaution à côté du grand-père.

Chêne entre avec eux, mais il est facile à distraire. S'il semble aimer un jouet, l'un d'eux dit :

— Hé, Chênou-chouchou, viens voir celui-ci.

Et il l'éloigne pendant qu'un autre va discrètement porter le premier près de la caisse enregistreuse.

— Pas de jouets en bois, implore Papaye.

(L'an dernier, Dadi Ji et Dada Ji ont offert à Chêne un jeu de blocs antiques avec les lettres de l'alphabet; il en a lancé un au visage de Catalpa et lui a fendu la lèvre.)

— Le bambou est considéré comme du bois? demande Sumac.

— Ma foi, c'est du bois assez léger, répond Mamenthe.

Sic lit l'étiquette écrite à la main retenue par un ruban.

— *Hochet provenant d'une source durable avec une ravissante couverture en coton organique.*

Accroupi devant un théâtre de marionnettes, Papaye roucoule. Sumac est tentée de le faire taire, mais il a l'air si heureux…

— Un jeu de prismes, de pyramides et de dodécaèdres en carton? suggère-t-elle.

— Il va les sucer et ils vont devenir gluants, proteste Aubépine de façon très sensée.

Sumac le savait, mais elle voulait les avoir pour elle.

— Quarante-neuf dollars quatre-vingt-quinze cents pour une bavette? C'est de l'arnaque! s'exclame Catalpa.

— C'est de la toile de chanvre, un grain ancien qui boit beaucoup, explique la femme derrière le comptoir. La bavette est ourlée à la main.

Mamenthe lance un regard à Catalpa pour lui rappeler de surveiller ses manières.

Sumac se demande comment un grain peut boire.

Aubépine se balance si vite sur l'hippopotame à bascule qu'elle renverse presque une tour Eiffel en briques Lego. Sic l'envoie dehors.

Catalpa consulte de nouveau son téléphone.

— Tricot urbain avec Quinn! J'y vais.

— Reviens pour le souper, dit Mamenthe.

— Probablement.

— Tu ferais mieux de revenir, dit Sic. C'est toi qui cuisines le ragoût marocain aux abricots.

— Celui avec les carottes *et* les patates douces *et* la courge *et* l'aubergine *et* les poivrons *et* les courgettes? gémit-elle.

— Tu as une bonne mémoire! Je t'aiderai à préparer les légumes, répond Mamenthe à Catalpa qui a déjà tourné le dos.

— Quand pourrons-nous faire la connaissance de Quinn? demande Papaye. Vous passez tellement de temps ensemble.

Catalpa rejette ses cheveux en arrière avec mépris.

— Allons-nous enfin entendre un morceau de Pomme de fer? demande Sic.

— Gamme!

Sumac et Aubépine échangent un sourire alors que Catalpa leur tourne le dos pour partir.

— Tu sors si facilement de tes gonds que ce n'est même pas satisfaisant, lui dit Sic.

Perché sur un tabouret pliable en forme de pied de brachiosaure, Papaye tente maintenant d'atteindre la dernière marionnette samouraï sur la tablette du haut.

— Combien? demande Bruno, un sac de billes à la main.

Sumac lit le prix sur l'étiquette.

— Seulement quatre quatre-vingt-quinze, mais Chêne est trop petit pour jouer aux billes, il essaiera de les avaler.

— Pas pour Chênou-chou.

— C'est ça.

— Quatre quatre-vingt-quinze dans mon cochon?

— Sans doute, *tsi't-ha*, répond Mamenthe, mais nous n'achèterons pas de billes.

— Moi achète avec mon argent de mon cochon, insiste Bruno.

— Pas aujourd'hui, mon cœur.

C'est alors que Papaye coince ses lunettes dans le fil invisible d'un mobile représentant le système solaire.

— Tu n'es pas sortable, siffle Sumac en lui donnant une tape sur les fesses (mais pas trop fort).

Les Loteau choisissent enfin quelques beaux cadeaux pour Chêne.

— On n'enlève pas les étiquettes avant d'avoir payé, rappelle Sic à Aubépine en lui enlevant un jeu de poches des mains.

— Mission accomplie, et nous n'avons rien cassé! s'exclame Papaye en sortant du magasin.

Il tient Chêne à l'envers et ses souliers en forme de grenouilles s'agitent dans les airs.

Dehors, Mamandine achète une revue à une femme dont un œil est voilé par la cataracte et l'écoute raconter ce qu'elle pense du maire. Pendant ce temps-là, Aubépine se tient en équilibre sur les mains contre la vitrine d'une banque. Gripette achève de fumer sa cigarette et regarde dans la direction opposée.

Sumac aide Bruno à passer le camion par-dessus sa tête et replace les cordes sur les marques rouges de ses épaules.

— Ça ne te fait pas mal?

— Na, ment Bruno.

Sumac marche à côté de Gripette; elle essaie de penser à quelque chose de désagréable à raconter sur ce quartier. Il n'y a hélas rien à reprocher aux trois boutiques devant lesquelles ils passent : fromage artisanal, gâteaux personnalisés et chaises uniques en leur genre. Rien pour lui déplaire.

— Il y a des tonnes de graffitis, dit-elle en pointant le doigt.

Aucune réponse.

— Catalpa est allée en faire avec de la laine.

Gripette plisse le front, l'air de n'avoir aucune idée de ce dont elle parle.

— Oh! Regardez! Voici le centre de réhabilitation pour les drogués, s'écrie-t-elle en tendant de nouveau le doigt.

Deux hommes terriblement brûlés par le soleil sont affalés sur le seuil : de mieux en mieux.

— Et là, c'est une toute petite mosquée, ajoute-t-elle.

Elle parie qu'il n'aime pas les mosquées. La boutique d'appâts? Hum, Gripette trouve-t-il les vers de terre *bizarroïdes* ou aime-t-il pêcher?

— Vous aimez les rotis? demande-t-elle lorsqu'ils longent un restaurant antillais.

Elle espère que non.

— Le rrrôti de bœuf? demande-t-il.

— Non, les rotis, du cari de pommes de terre dans une sorte de crêpe. On y ajoute parfois de la viande de chèvre, précise-t-elle avec jubilation.

Il ne mange pas de chèvre, elle en est presque sûre.

Des cris résonnent derrière eux.

— Excusez-moi! Excusez-moi!

C'est la femme du magasin de jouets, hors d'haleine, et les cheveux dans le visage qui surgit à côté des Loteau.

— Je suis désolée, mais… votre petit garçon a volé quelque chose.

Elle fait un geste vers Bruno.

— C'est une fille, dit Aubépine avant que quelqu'un puisse l'en empêcher.

— *Pas* une fille, s'insurge Bruno.

Papaye et Mamenthe échangent un regard impuissant.

— Eh bien, il... elle a mis quelque chose dans sa poche, reprend la femme confusément.

Bruno agrippe les côtés de son camion de pompier comme si elle était sur le point de s'enfuir à toute vitesse.

— As-tu pris un jouet et oublié de le payer, doudou? murmure Papaye.

— Moi, quatre quatre-vingt-quinze dans mon cochon, mais Mamenthe veut pas!

Les yeux brillants, Bruno plonge la main dans son camion et sort des billes de la poche de son short.

— Je suis désolée, c'est un malentendu, soupire Mamenthe. Bruno, veux-tu les rendre, s'il te plaît?

Mais la petite main reste bien fermée.

La vendeuse attrape le sac en filet.

— Notre Gripette a besoin de billes!

Bruno tire à son tour. Une bille, puis une autre, puis toutes les billes se répandent sur le trottoir.

Aubépine pouffe de rire.

— Il a perdu la boule! dit Sumac en hurlant presque. Notre grand-père. C'est ça que Bruno veut dire, il souffre de démence, et elle pense que...

Gripette la regarde en plissant les yeux comme si elle était la personne la plus grossière du monde.

Sumac a le visage en feu.

Aubépine court dans toutes les directions et ramasse des poignées de billes qu'elle recueille dans son tee-shirt comme dans un sac.

La femme du magasin de jouets semble atterrée.

— Moi trouvé juste une au parc, juste une petite, sanglote Bruno, le visage ruisselant de larmes.

— Perdre la boule, ça veut seulement dire qu'on ne pense plus clairement, explique Mamandine à Bruno d'une voix très douce.

— C'est pour ça que moi les prends! Là, grosses billes, comme ça Gripette peut penser super bien.

Puis elle se rappelle que le sac en filet est vide et le secoue tragiquement.

— Je les ai! dit Aubépine.

Le visage sur le trottoir, elle en attrape une poignée au bord d'une bouche d'égout.

— Combien vous devons-nous? demande Papaye à la propriétaire du magasin.

Elle fait un geste de la main.

— C'est bon.

— Non, non, m'dame, c'est très gentil de votre part, mais…

Et il se hâte de l'accompagner au magasin de jouets.

Mamandine exhale un de ses longs soupirs de méditation.

— Bon. Ramassons toutes les billes dans cette rue avant que quelqu'un ne trébuche et ne se casse une hanche.

Les Loteau les trouvent toutes, ou presque.

— Savais-tu que plus tu pleures, moins tu fais pipi? dit Sumac à Bruno pour la réconforter.

— Ça intéressant, admet Bruno en reniflant.

Elle se dirige vers le grand-père avec une énorme bille. Il la regarde comme si c'était une crotte de chien et se détourne.

Je le déteste, pense Sumac. Elle est soulagée de s'être autorisée à le dire, même si ce n'est que dans l'intimité de sa propre tête.

Aubépine veut absolument nouer son tee-shirt pour retenir les billes. Elle court vers la maison en exhibant son ventre et ses côtes sous une boule qui évoque un genre de tumeur.

Sumac rattrape Mamenthe.

— Si j'ai mentionné la démence, c'est seulement pour que la femme ne prenne pas Bruno pour une voleuse, dit-elle d'une voix chevrotante.

— Je sais, mon chou.

— Si c'est la vérité, pourquoi est-ce un secret?

— Ce ne l'est pas, pas vraiment... C'est juste un sujet délicat, répond Mamenthe.

Papaye est enfin de retour.

— Qu'est-ce que c'est? demande Mamandine en indiquant un élégant sac de papier fermé par un ruban.

— Elle a refusé de me laisser payer les satanées billes. Elle répétait que Bruno était une *si gentille petite personne*. J'ai donc pris la première chose que j'ai vue : la bavette en toile de chanvre assoiffée à cinquante dollars.

Sumac a envie de rire, mais elle ravale son rire et sa gorge lui fait mal.

Le jeudi, il fait encore plus chaud. Aubépine descend souper nue comme un ver. Quand Mamandine lui dit d'aller s'habiller, elle rétorque :

— Pour ton information, en été, les enfants mohawks ne mettaient rien avant l'âge de treize ans.

Et elle jette un regard en coin à leur grand-père.

— Eh bien, nous sommes un foyer non traditionnel, alors tu peux porter mon tablier, dit Mamenthe en le lui passant par-dessus la tête sans lui laisser le temps de protester.

C'est un très grand tablier brillant sur lequel sont écrits les mots : *Ça sera fini quand la grosse femme aura chanté.* Il tombe presque jusqu'aux chevilles d'Aubépine.

Gripette n'accorde malheureusement aucune attention à la scène. Il dévore la lasagne à douze étages de Papadum comme s'il mourait de faim. La cuisine italienne ne fait donc pas partie de celles qu'il qualifie d'*ethniques*, se dit Sumac.

Elle se sent si nerveuse à l'idée de la présentation qu'elle va faire que c'est à peine si elle parvient à avaler quelques bouchées.

— En passant, j'ai trouvé un entraîneur de conduite, annonce Sic d'un air très blasé.

— Sérieusement? s'étonne Catalpa. Tu as piégé un adulte quelconque...

— J'ai conclu un arrangement mutuellement profitable avec un entrepreneur local qui, incidemment, représentera un ajout fantastique à mon CV, l'interrompt-il. En échange d'une révision complète de son vieux site Web, Mme Zhao va m'ajouter à son assurance auto en tant que conducteur occasionnel. Je pourrai conduire son véhicule trois soirs par semaine.

Ils sont tous estomaqués.

— L'auto-caca? demande Sumac.

— Selon le vendeur, la couleur s'appelle chocolat amer nacré.

— C'est quoi, cette histoire? veut savoir Gripette.

Papadum lui explique.

— De toute façon, c'est utile de savoir conduirrre, conclut le vieil homme.

Tout un éloge, vraiment : Sic regarde Sumac en haussant les sourcils.

— Notre gracieuse voisine est une négociatrice coriace, ajoute-t-il. J'ai fait valoir que la conception d'un site Web par un spécialiste de mon calibre exige beaucoup plus de connaissances que conduire une auto, mais elle m'a répondu que j'avais besoin de ce marché au moins deux fois plus qu'elle… Je dois donc lui donner deux heures de travail en échange de chaque heure sur la route.

— Nous devrions aller lui parler, dit Mamenthe aux autres parents, voir si elle ne le fait pas par pure gentillesse.

— Gentillesse? hennit Papaye. C'est de Mme Zhao que nous parlons.

— Eh bien, ça prouve que tout est possible, dit Papadum.

— Ou que les pouvoirs de persuasion de Sic dépassent tout ce qu'il pourrait étudier, ajoute Mamenthe.

— Le charme ne s'étudie pas, maman, dit ce dernier avec un accent du sud et un clin d'œil.

Sumac se dit que c'est le moment idéal, car tout le monde semble relativement de bonne humeur.

— Puis-je faire une présentation?

— Bien sûr, répond Papadum. Sur la Mésopotamie?

— En fait...

— Est-ce que ça va être long? demande Catalpa, déjà debout. Parce que Sheryl, Céline, Quinn et moi...

— Tes amis peuvent attendre dix minutes, coupe Mamenthe.

D'un doigt, elle oblige Catalpa à se rasseoir.

— Nous sommes toujours d'accord pour faire une randonnée sous les étoiles ce soir? demande Sapin à Papadum.

Celui-ci fait signe que oui, pose un doigt sur ses lèvres et indique Sumac.

— Cette semaine, j'ai cherché... je me suis renseignée à propos des foyers, commence-t-elle d'une voix un peu incertaine.

Elle se racle la gorge.

— Oh! L'aspect interculturel, tu veux dire? demande Papaye. Gratte-ciel contre iglou, ce genre de chose?

Elle hésite et tripote le projecteur pour que la première image, un immeuble moderne très élégant contre un ciel vespéral orangé, s'imprime sur le mur blanc du mess. Son dernier diaporama, celui des photos d'enfance, a mal tourné, mais, cette fois, elle est bien préparée.

— Comme je l'ai découvert, il existe plusieurs installations de classe vraiment mondiale avec un tas d'installations — elle se répète —, un tas de trucs destinés aux personnes qui sont… plus âgées.

Son regard se tourne vers Gripette, encore occupé à manger sa deuxième portion de lasagne.

— Ici même, à Toronto, reprend-elle pour prouver aux Loteau qu'ils pourront facilement rendre visite au grand-père… s'il le désire. Voici un merveilleux exemple appelé la résidence Soleil couchant où des infirmières viennent *24 heures sur 24*. Seulement quand on a besoin de quelque chose, évidemment.

Elle adresse cette dernière remarque au grand-père, se rappelant combien ça le dérange de les entendre ne serait-ce que parler dans l'escalier à sept heures du matin. Elle clique sur l'image suivante, une piscine intérieure en céramique bleue.

— Dans la piscine, il y a une section de résistance où l'eau presse vraiment contre nos muscles pour les développer. Et ici, nous voyons la… la *pergole* dans le jardin.

Elle n'est pas sûre d'avoir bien prononcé le mot.

— Sumac, dit Papadum d'une drôle de voix.

— La *pergola*, se corrige-t-elle, très vite parce qu'elle ne peut s'arrêter pour répondre aux questions, n'ayant pas encore abordé le point vraiment important. Selon la mission de la résidence Soleil couchant, euh, il s'agit de *vivre sa vie dans un environnement qui rappelle la maison*. On reçoit toute l'aide nécessaire pour…

Ici, elle est censée lire une liste qui commence par *prendre son bain, s'habiller, manger*, mais elle renonce, incapable d'imaginer Gripette accepter d'être traité comme un bébé.

— On y offre un ensemble de services personnalisés, dit-elle plutôt (elle ne peut s'empêcher d'imaginer un énorme cadeau surmonté d'une boucle de ruban), ce qui signifie qu'on choisit ses… ses *commodités* préférées. Par exemple, on n'est pas obligé de prendre le massage en profondeur aux huiles essentielles si on n'aime pas être palpé.

N'est-ce pas le mot — *palpé* — qu'il a prononcé l'autre jour quand Mamenthe a offert de lui mettre de la crème sur ses épaules brûlées par le soleil?

— On peut jouer aux cartes, aux cinq cents, si on le préfère, ou au billard, ou visiter des attractions…

— Tu peux t'arrêter maintenant, *tsi't-ha*, dit Mamenthe.

Sumac ne sait plus où elle en est dans ses notes, mais elle sait qu'elle a encore bien des choses à dire et elle ne doit pas s'arrêter ni même prendre une seconde pour expliquer pourquoi elle ne s'arrête pas. Elle voit Sapin se couvrir les yeux de la main et Catalpa tordre la bouche. Elle doit juste projeter une image du Soleil couchant sur laquelle la résidence paraît si formidablement luxueuse qu'ils comprendront ce qu'elle veut dire.

— Il y a beaucoup d'espace personnel et une *unité pour les soins de la mémoire* conçue pour...

Elle ne parvient pas à dire *démence.*

— ...pour la chose dont souffrent plusieurs personnes âgées, ajoute-t-elle en jetant un coup d'œil en direction de Gripette.

Mais elle ne croise pas son regard. C'est alors qu'une idée la frappe : entasser des aînés confus côte à côte dans leur propre unité ne risque-t-il pas de les rendre encore plus confus? Elle farfouille trop vite dans ses diapositives et toutes ces têtes blanches béates n'ont rien à voir avec Gripette. Personne n'a de cigarette à la main; Sumac n'a trouvé aucune résidence d'aînés qui mentionne quoi que ce soit d'apparenté au tabagisme. Sans le regarder en face, elle voit bien que le visage de Papaye est un masque. Tout se passe mal, horriblement mal. Sumac le sait, mais elle ne peut arranger les choses en s'arrêtant en plein milieu, il faut qu'elle se rende au bout et que, tout comme Sic, elle utilise tous ses *pouvoirs de persuasion.*

— Regardez, une salle de cinéma avec le son ambiophonique!

Non, c'est la chapelle. Désespérant de retrouver la salle de cinéma, elle retourne deux diapositives en arrière, mais elle ne voit qu'une sortie en autocar et l'image d'un étalage de gâteaux.

— Sumac! vocifère Papadum.

Elle lit à voix haute les légendes des photos.

— *Excursions aux chutes Niagara. Retraite privilégiée. Venez vous détendre avec nous, parce que vous méritez…*

Clic. Penché par-dessus la table, Sic a fermé l'ordinateur portable. Le mur redevient blanc.

La chaise de Gripette grince quand il la recule. Il jette à Sumac, puis à toute la famille, un regard torve.

— Vous pouvez me crrroirrre, j'ai encorrre plus hâte que vous de ficher le camp d'ici!

Il sort à grandes enjambées. La porte de la gripetterie claque derrière lui.

Mamenthe rompt le terrible silence.

— Sumac, comment as-tu osé?

— Je voulais seulement me rendre utile, bégaie Sumac.

— Je trouve ça difficile à croire, dit Mamandine.

Sumac essaie de refouler ses larmes.

— Te rends-tu compte à quel point tu l'as blessé? demande Papadum.

— Ouais, renchérit Catalpa, comment te sentirais-tu si on t'expédiait dans une institution quelconque jusque parce que tu nous tombes royalement sur les nerfs?

— Je pensais juste…

Sumac a du mal à respirer.

— …que si je pouvais lui trouver une résidence qui serait presque comme un vrai foyer, il préférerait peut-être habiter là plutôt qu'à la Cameloterie, sans toutes les choses qui le dérangent ici, sans *nous*… parce qu'il ne veut pas rester ici.

Elle les dévisage tour à tour. Personne ne peut la contredire.

— Mais il veut peut-être que nous *voulions* qu'il reste, dit Papaye d'une voix si impersonnelle qu'elle ne lui ressemble pas.

Ce que Sumac a fait était cruel : elle le voit maintenant. Comment a-t-elle pu passer toute la semaine à préparer cette présentation sans se rendre compte à quel point c'était mesquin de sa part? Quelle gaffeuse idiote est-elle?

Les larmes coulent maintenant sur son visage et elle s'enfuit de la pièce comme si elle avait trois ans plutôt que neuf.

Quand les parents montent au grenier à tour de rôle frapper à la porte de Sumac, elle hurle :

— Allez-vous-en!

Et elle enfouit sa tête sous l'oreiller.

Sic entre sans lui demander la permission.

— Pauvre petit canard, dit-il, et il s'assoit sur ses fesses.

Sumac gigote pour le déloger.

— Oh! Le joli petit coussin, dit-il en ajustant son poids. Un peu osseux peut-être... il aurait peut-être besoin d'un peu de rembourrage... d'un peu plus de duvet de canard...

— Rembourre-toi toi-même, chuchote-t-elle.

Il rebondit sur le lit.

Elle gémit, mais, bizarrement, ça lui est égal. Quand on est aussi malheureux qu'elle, c'est bien de se sentir écrasé par un poids lourd.

— Sérieusement, Smaquerou, as-tu compris pourquoi tout le monde était si fâché contre toi?

Sumac se raidit.

— Je sais, je sais, je sais, j'ai été stupide et épouvantable. Tu n'as pas besoin de me le répéter!

Elle se tortille jusqu'à ce que Sic se relève. Il secoue la tête et dit :

— Le fait est qu'on pousserait tous un soupir de soulagement si le vieux décidait de déménager dans une résidence de ce genre pour les retraités.

Sumac cligne des yeux.

— Mais tu as eu des ennuis parce que tu l'as dit à voix haute, ajoute Sic.

— Ouais, eh bien, j'ai eu tort.

— Tu penses que Mamandine aime lui rappeler de couper ses ongles d'orteils de dinosaure? Même Mamenthe, malgré son angle mort quand il s'agit de la famille…

— Angle mort, comme dans une voiture? demande Sumac, déboussolée.

— Exact, le petit bout qu'on ne voit pas clairement : pour elle, le clan est tout. Et Papadum ne supporte pas le

PAPILLONS

bonhomme. Il espère probablement qu'il cassera sa pipe dans son sommeil une de ces nuits de canicule.

— Tu es cinglé, Sic, dit Sumac en camouflant un sourire derrière sa main.

Il hausse les épaules et ébouriffe son afro.

— J'ai bien réfléchi, et c'est... l'heure de la vengeance!

Quand son frère prend ce ton de jeux vidéo, Sumac n'a parfois aucune idée de ce dont il parle.

— La vengeance de quoi?

— Papaye a souffert d'eczéma et de vomissements jusqu'à l'âge de deux ans, tu te rappelles?

— Il exagère sûrement.

— Bon, comme d'habitude, évidemment. Quand même. Si tes parents t'élèvent jusqu'à dix-huit ans sans rien qu'il t'arrive, tu leur dois quelque chose. Papaye doit être loyal envers son père, tout comme nous devons être loyaux envers lui. Nous sommes liés comme les maillons d'une chaîne.

Le genre qui enchaîne un prisonnier à un mur, se dit Sumac.

— Quoi qu'il en soit, courage, sœurette. Tout va bien.

— Non, dit-elle.

— Demain, c'est l'anniversaire de Chêne. Comme dans *Max et les maximonstres*, «*Nous allons faire une fête épouvantable!*» cite son frère.

— Ouais, c'est ça, répond Sumac.

Mais elle n'y croit pas.

CHAPITRE 11

PERDU... ET RETROUVÉ

Sumac se souvient du premier anniversaire de Chêne : ils l'avaient déguisé en gland dans un costume de velours brun avec un chapeau assorti. Ils avaient invité tout le monde : son physiothérapeute, son travailleur social et celui de Bruno, toutes leurs connaissances habitant à une distance raisonnable, et même les bébés de sa classe de jeux musicaux… mais Chêne s'était endormi sur son biberon avant l'arrivée de la plupart d'entre eux.

Cette année, pas de fête. *Nous sommes suffisamment occupés en ce moment*, ont dit les parents. C'est un euphémisme pour parler de Gripette, Sumac le sait parfaitement. Depuis sa déplorable présentation sur les résidences pour aînés la veille, elle évite tous les regards, surtout celui de son grand-père.

Elle frappe à la porte de la chambre d'Aubépine, sur laquelle on voit l'image d'un énorme serpent qui a le visage souriant de sa sœur.

Celle-ci est allongée sur le dos dans une mer de briques Lego répandues d'un mur à l'autre. Les jambes repliées par-dessus ses coudes, elle parle à une petite machine volante compliquée qu'elle est en train de fabriquer.

— Quoi?

— Pour l'instant, le plan est en suspens, chuchote Sumac.

— Quel plan?

— Le plan pour inciter Gripette à demander d'aller vivre ailleurs, grogne-t-elle, exaspérée.

Le visage d'Aubépine s'illumine et elle se balance un peu sur son épine dorsale.

— Oh! De toute façon, je ne faisais plus ça.

— Et pourquoi?

— Ardoise l'aime bien.

— Comment tu le sais? demande Sumac en fronçant les sourcils.

— Eh bien, je l'ai laissé dans son lit ce matin.

— Tu as laissé Ardoise dans son lit?

— Dans le lit de Gripette, idiote! Et j'ai écouté derrière la porte. Je pensais que ce serait hilarant, mais en fait Gripette a seulement dit *Oh! Mais qui est-ce que je vois là?* Et quand j'ai regardé quelques minutes plus tard, il chatouillait le bedon d'Ardoise. J'ai dû faire semblant d'être surprise, genre, *Eh bien, c'est là que tu te cachais, coquin?*

Sumac grince des dents. Ce rat ne résiste pas aux chatouilles.

Elle est donc complètement seule, comme elle le réalise en descendant pesamment l'escalier. Même si Sic lui a dit hier soir qu'ils préféreraient tous voir le vieil homme partir de son plein gré, Sumac est de toute évidence la seule à avoir du mal à le supporter. Elle a toujours pensé être plutôt gentille et tolérante, mais il s'avère qu'elle est la malcommode de la famille. Elle n'est pas Sumac aromatique, mais Sumac vénéneux.

C'est sa faute, pleurniche-t-elle dans sa tête. *C'est Gripette qui m'a rendue comme ça. C'est sa faute, pas la mienne.*

Cet après-midi, les Loteau prennent la photo « Anniversaire dans un sac » de Chêne, une tradition qui a commencé le jour de la naissance de Sic parce qu'il était si drôle quand les sages-femmes l'ont pesé dans un linge qui pendait d'une balance. (C'est plus difficile à faire quand c'est l'anniversaire d'un adulte, mais ils y parviennent en se servant d'un sac de couchage.) Ils placent ensuite Chêne contre le mur arrière de la remise et peignent sa silhouette autour de la plus petite de l'an dernier. (D'habitude, Sumac adore regarder ses neuf silhouettes entourées de couleurs différentes, mais pas aujourd'hui.) Grandir veut seulement dire qu'on commet de plus grandes erreurs et qu'on a des ennuis encore pires.)

Puis, ils écrivent chacun une lettre à Chêne pour lui dire ce qu'ils aiment chez lui (*tOuT*, comme l'écrit Bruno dans son bref message) et mettent ces lettres dans une grande enveloppe dans son dossier. Ils le prennent ensuite par ses poignets et ses chevilles potelés et lui donnent la bascule en le balançant très lentement vers le ciel puis vers le sol, deux fois pour son âge et une autre pour la chance.

— Moi aussi, moi aussi, supplie Aubépine. Très vite et très haut.

— Seulement le jour de ton anniversaire, répond Sic.

— S'il vous plaît!

— Sinon ce ne serait plus une coutume d'anniversaire, pas vrai?

Après le dîner, ils attendent que Mamandine revienne de sa promenade. (Elle a parfois besoin de solitude pour empêcher sa tête d'éclater.) Papadum et Papaye essaient d'étaler le glaçage fondant sur le gâteau bonhomme de neige tandis que les autres montent à la salle conviviale. Ils éparpillent des ballons et laissent Chêne ramper autour en les faisant voler dans les airs avec ses poings.

Catalpa répète un accord compliqué sur sa guitare et Sapin se plonge dans un manuel intitulé *Aventure et survie*. Jouant à toute vitesse avec sa ficelle, Aubépine essaie d'apprendre à Bruno une figure vraiment compliquée appelée Échapper à la pendaison. Gripette sirote bruyamment son thé. Sumac lit *L'effet carton*, un roman graphique qu'elle a trouvé fascinant la dernière fois, mais à présent elle ne cesse de perdre sa place.

— Je parie que c'est presque le moment d'allumer tes deux bougies, murmure Mamenthe en prenant Chêne dans ses bras.

— Le G-Â-T-E-A-U ne devrait-il pas être une surprise? s'étonne Catalpa.

— Oh! mais il va adorer nous voir allumer les chandelles, tout le processus… On vous fera descendre au mess quand ce sera prêt.

— Deux? dit Gripette une fois que Mamenthe et Chêne sont sortis de la pièce. Pourrrquoi deux chandelles?

— Chêne deux ans, répond Bruno.

Il fronce les sourcils.

— Ce tout petit bonhomme ne peut avoir plus d'un an.

— Aujourd'hui, mon frère babou deux ans.

— Tu confonds tes chiffrrres, fillette.

— Moi *pas* fillette! hurle Bruno.

— Chêne n'est pas très grand parce qu'il ne s'est pas beaucoup développé avant de venir habiter chez nous, intervient Sumac.

— Mais cet enfant tient à peine debout.

Sumac a l'impression que son sang commence à bouillir.

— Ouais, Chêne est lent, dit Sapin sur un ton froid. Et alors?

— Il doit rrrenforcer ses jambes, rétorque le vieil homme. Il n'irrrait pas plus vite dans une de ces marchettes?

— Non, mais il est *lent*, insiste Aubépine.

— C'est-à-dire en retard, explique Catalpa. Quelqu'un l'a secoué quand il était tout petit, avant que nous ne le prenions.

Sumac s'efforce toujours de ranger cette partie de l'histoire de son petit frère au fin fond de son esprit : elle ne peut pas supporter l'idée d'un adulte censé prendre soin d'un bébé qui le secoue assez fort pour meurtrir son cerveau.

— Personne ne vous l'avait dit? demande-t-elle.

— Vous l'avez peut-être oublié, suggère Sapin, exprimant ce qu'ils pensent tous.

— On m'a parlé d'un problème, mais je ne pensais pas que c'était du bébé, c'est tout.

À présent, Sumac est furieuse. *Le problème, c'est vous,* a-t-elle envie de vociférer. Chêne a *des* problèmes, mais il n'est pas *un* problème, il est absolument merveilleux alors que ce vieil homme est un problème chauve et puant.

Catalpa sort sur le palier.

— Le gâteau est prêt? crie-t-elle en direction de la cuisine.

— Encore quelques réparations de dernière minute, répond Mamenthe. Jouez à un jeu ou à autre chose!

Dans la salle conviviale couverte de moquette, ils se consultent du regard.

— On se chatouille? propose Aubépine.

Sumac fait signe que non. *Le Monopoly? Non,* pense-t-elle, *ce jeu finit toujours en guerre.*

— Toi connais jeux Napoléon? demande Bruno à Gripette.

— Qu'est-ce que c'est?

— Elle parle de jeux de l'ancien temps, explique Catalpa. Genre, de l'époque napoléonienne.

Et si Gripette répond qu'il n'est pas de l'époque napoléonienne, Sumac lui dira qu'elle aimerait bien qu'il le soit, comme ça il serait mort et enterré depuis longtemps.

— On avait toutes sorrrtes de jeux, dit-il plutôt. Pas de ces folies comme du *temps à l'orrrdi.*

— J'aimerais vivre à l'intérieur d'un écran, comme Vanellope von Schweetz, dit Aubépine.

— Quoi, les jeux? demande Bruno à Gripette.

Il hausse les épaules.

— De but en blanc, comme ça, je ne m'en souviens pas. Les cartes, taper dans des choses, sauter à la corrrde…

— Moi sais sauter!

Mais Sumac est effarée à la perspective de voir le vieil homme essayer de sauter à la corde.

— On n'a pas de corde à danser ici, dit-elle.

— Catalpa! appelle Mamenthe, peux-tu t'occuper de Chêne pendant quelques minutes?

Catalpa sort en soupirant.

Un autre long silence.

— Colin-maillarrrd, dit Gripette.

— Génial! s'écrie Aubépine.

Bon, si leur grand-père veut bien jouer à un jeu avec eux, Sumac suppose qu'ils doivent suivre, même si ça ne sera sûrement pas amusant.

Un téléphone fait entendre son ricanement au fond de la poche de Sapin.

— Une seconde.

Il sort de la salle conviviale.

— Comment vous jouez? Quand on est touché, on devient le chasseur ou on est éliminé? demande Sumac.

Elle veut connaître les règles exactes pour que personne ne puisse la traiter de *tricheuse*.

Le grand-père hausse de nouveau les épaules.

— À ta guise.

— Mais quelle est la règle, vous vous en souvenez?

Elle attend.

— Voulez-vous que je la cherche?

Elle voudrait que Sapin finisse de parler au téléphone et vienne l'aider.

— Ça n'a pas vrrraiment d'imporrrtance, dit Gripette d'un ton tellement revêche que Sumac décide qu'il vaut mieux commencer.

— Viens, Chêne? dit Catalpa sur le palier. On va visiter ma tourelle.

Sumac improvise un bandeau avec le bandana de Bruno. Bruno veut être le chasseur, mais elle s'énerve et arrache le bandana. Sumac se bande donc scrupuleusement les yeux de façon à ne rien voir.

— Pas chasser, glapit Bruno.

On entend un bruit sourd, comme si elle avait reculé dans quelque chose.

— Mais c'est ça, le jeu, Bruno, dit Aubépine. C'est comme la tague.

— Jouer, mais pas chasser moi.

Sumac tend les mains et avance en s'assurant d'éviter l'endroit d'où proviennent les cris de Bruno. Mais elle ne veut pas toucher Gripette non plus. Elle se déplace donc avec précaution entre les poufs poires et les chaises.

— Tu attrrrapes quelqu'un et tu touches son visage jusqu'à ce que tu puisses deviner qui c'est, dit Gripette.

Sumac a la nausée à la pensée de caresser le visage ridé du vieil homme ou de sentir ses doigts sur le sien.

— Je m'ennuie, déclare Aubépine en se dirigeant vers la porte.

— Reviens, la supplie Sumac. Aubépine! Tu seras le chasseur si tu veux...

Elle se cogne contre Bruno qui pousse de petits cris ravis.

Soulagée, Sumac retire le bandeau.

— Pas moi. Gripette le chasseur, insiste Bruno.

Sumac lui bande nerveusement les yeux.

— Pas trop serrré! aboie-t-il.

Elle desserre le bandana qui glisse maintenant sur son nez.

— Je vais l'ajuster tout seul, dit-il en repoussant ses mains.

— J'en ai assez d'attendre, se lamente Aubépine dans la tourelle de Catalpa à côté. Je ne mange même pas de gâteau.

— Dans ce cas, quelle importance s'il faut attendre? demande Catalpa.

Gripette serre le bandeau encore plus que Sumac ne l'avait fait la première fois et la bordure s'enfonce dans ses joues et lui aplatit les oreilles. Il déambule dans la pièce. Sumac se penche et enlève une chaise devant lui pour qu'il ne tombe pas dessus.

— Youhou! crie Bruno, pour l'attirer.

Aubépine a dû laisser la porte de la tourelle ouverte parce que Chêne rampe maintenant dans la salle conviviale en gazouillant.

— On joue colin-maillard, lui dit Bruno.

Sumac s'approche de Gripette sur la pointe des pieds, pose un doigt sur son dos et s'enfuit. Puis, le grand-père attrape presque Bruno qui rit, pliée en deux, et Sumac la tire par son débardeur.

— Impossible! La pièce est trop grande, je ne vous trouverai jamais, maugrée Gripette.

Il se penche en tâtonnant dans les airs et son paquet de cigarettes tombe de la poche de sa chemise.

— Oh! s'écrie Bruno qui le ramasse.

— Où sont mes clopes? demande-t-il.

— Sales, répond Bruno. Jeter dans poubelle.

— Tu ne fais pas ça, espèce de petite…

— Elles te tuer, dit Bruno.

— C'est moi qui vais te tuer si tu ne me rrrends pas mon bien!

Les bras devant lui, il marche en direction de sa voix.

Chêne pense qu'il s'agit d'un jeu merveilleux. Il rampe vers Gripette et…

Le gros soulier s'abat sur sa main.

Pour commencer, leur petit frère n'émet pas un son. C'est ainsi que Sumac comprend que c'est grave. La bouche de Chêne s'ouvre et forme un « O » interloqué.

— Vous avez marché sur lui! hurle Sumac.

Le vieil homme recule en titubant et arrache le bandana de son visage empourpré.

Une longue plainte s'échappe alors de Chêne. Sumac le prend dans ses bras, descend l'escalier et traverse la maison en courant. Elle se débat avec toutes les barrières d'enfant qu'elle laisse ouvertes parce que c'est un cas d'urgence et qu'elle ne peut agir d'une manière sensée, être

une *personne rationnelle.* Elle pleure encore plus fort que Chêne tout en essayant de se faire entendre.

— Il a marché sur lui!

Mamenthe est dans la cuisine, une tache de glaçage sur un sourcil.

— Calme-toi. Qui? Quoi?

Gripette semble un nom trop gentil pour désigner l'intrus.

— Ton père! crie-t-elle à Papaye. Il a écrasé la main de Chêne!

Papaye la regarde fixement.

Quelques secondes plus tard, Papadum presse un sachet de fèves surgelées sur les petits doigts de Chêne.

La porte d'entrée s'ouvre : c'est Mamandine qui rentre à la maison. Sumac s'empresse d'aller lui raconter ce qui est arrivé.

Mamandine l'écoute en silence, puis elle grimpe l'escalier deux marches à la fois et intercepte Gripette sur le palier du tapis roulant.

— Ian!

Pour une fois, elle ne parle pas d'une voix égale et calme.

— Que s'est-il passé?

— Ah! Je suppose qu'on appelle ça un petit accrrrochage. Une collision? C'est bien le mot?

— *Petit?* répète Mamandine.

Gripette la repousse et descend l'escalier. Dans le mess, Sumac voit qu'il halète et tremble. Il porte toujours le bandana autour de son cou, comme s'il était déguisé en cow-boy.

— Il ne s'est pas fait mal, j'espère?

Papaye s'approche tout près de lui.

— As-tu marché sur la main de Chêne, papa?

— Eh bien, comment je pouvais savoir qu'il était sous mon pied? Tiens, laisse-moi rrregarder le pauvrrre petit...

— Toi pas toucher mon frère! rugit Bruno.

Elle continue de hurler jusqu'à ce que Gripette ait reculé. Les mots se bousculent dans la bouche de Sumac :

— Il était fâché contre nous. Il a dit à Bruno qu'il allait la tuer parce qu'elle avait pris ses cigarettes, puis il nous a poursuivis et...

En se concentrant très fort, elle entend même le bruit dans sa mémoire : le petit craquement quand la semelle d'acier géante s'est abattue sur les doigts tendres de Chêne.

— Ça va, dit Papadum, qui fait un geste pour indiquer à Sumac de se taire.

— Ce n'est pas ça. Ça ne s'est pas du tout passé comme ça, proteste le vieil homme. Je n'ai pas vu le petit bonhomme, pas vrrrai?

— Ça suffit! dit Papadum, d'une voix de grizzly que Sumac n'a jamais entendue auparavant.

Le médecin des urgences se souvient d'eux : c'est le même qui était là lors de leurs visites passées pour des *aubéccidents*. Aubépine est passablement vexée de ne pas être la blessée cette fois (ou celle qui a blessé quelqu'un d'autre). Chêne n'a pas de plâtre; le doigt fracturé est simplement bandé avec le doigt voisin, ce qui signifie qu'ils devront être des copains pendant deux ou trois semaines et bouger ensemble jusqu'à ce que la petite fissure soit guérie.

La nuit dernière, Sumac a dû somnoler quelques fois, mais le reste du temps, elle était complètement réveillée à contempler le plafond en pente du grenier qui faisait semblant d'être le sien. Ce matin, elle a mal au cœur.

Le médecin a dit de mettre un sac de glace sur le doigt de Chêne pendant vingt minutes toutes les heures, mais il n'aime pas ça. La famille doit aussi vérifier s'il est froid ou bleu. C'est difficile à dire parce que quand on met de la glace sur quelque chose, ça devient froid. Ils consolent le bébé en lui donnant une sucette ou en le mettant dans la baignoire, mais la main blessée doit rester au sec dans un sachet de plastique fixé au poignet. Chêne trouve ça drôle et ne cesse de frapper l'eau pour créer des tsunamis.

— Au moins, ton doigt ne pointe pas de côté, lui dit Aubépine.

— Ga, répond-il en souriant.

— Ouais, il n'est pas tordu comme un trombone, ajoute Sapin.

— Tu n'as pas de petits bouts d'os qui te sortent de la peau, renchérit Aubépine.

— Taisez-vous! dit Sumac en se demandant comment ils peuvent faire des blagues dans un moment pareil.

Aujourd'hui, Gripette n'a pas émergé de sa chambre. Sumac ne l'a même pas entendu tirer la chasse d'eau avec colère. Il n'a rien mangé ni ce matin ni à midi, et pour Sumac, c'est parfait : il mérite de mourir de faim.

Elle est presque sûre que c'est Mamandine qui, de sa belle calligraphie, a écrit la citation dans le miroir de la galerie :

LA PEINE EST INÉVITABLE.

LA SOUFFRANCE EST OPTIONNELLE.

Elle y réfléchit une minute avant de décider que c'est la manière bouddhiste de dire *Assumez*. Eh bien, Gripette peut assumer : toute la famille qu'il lui reste le déteste et il est le seul à blâmer.

Vers 16 heures, Papadum apporte le gâteau d'anniversaire qu'ils n'ont pas mangé hier. Mamandine approche Chêne pour qu'il souffle ses deux bougies (avec l'aide discrète d'Aubépine), et le tire en arrière avant qu'il n'attrape les flammes.

Sumac grignote son morceau.

— Tu n'as pas faim, jouvencelle? demande Papaye.

— C'est trop visqueux.

— Le gâteau?

— Le jour.

Elle essaie de faire un somme, mais, malgré la climatisation, la fraîcheur n'atteint pas le grenier parce que l'air chaud monte. Dans son ancienne chambre, elle aurait été agréablement rafraîchie, mais c'est Gripette qui s'y trouve. Sa porte est fermée et il fume probablement deux cigarettes à la fois sans se soucier du *petit bonhomme* qu'il a écrabouillé.

Sumac se retourne à la recherche d'un endroit moins brûlant sur son oreiller.

Un fait bizarre lui vient à l'esprit : Gripette n'a pas fait exprès de marcher sur Chêne.

Ouais, mais ce n'était pas un simple accident non plus, n'est-ce pas?

Il avait les yeux bandés, il ne savait pas que Chêne était là. C'est la petite chose que Sumac a omis de mentionner hier soir.

Ouais, mais Gripette aurait su que l'enfant était *sous son pied* s'il avait fait attention, parce que Bruno a appelé Chêne quand il a rampé dans la salle conviviale. C'était donc de la négligence, de l'étourderie et de la colère.

Un instant, Bruno a-t-elle vraiment prononcé le nom de Chêne?

Sumac ne s'en souvient pas. Elle est une mauvaise observatrice.

À l'heure qu'il est, quelqu'un d'autre a probablement parlé du bandeau aux parents : Aubépine, ou Bruno, ou même Gripette. Ce n'est pas toujours à Sumac de rapporter le moindre petit détail.

En tout cas, une chose est sûre : il était fâché contre Bruno à cause des cigarettes.

Ouais, mais il n'était pas fâché contre Chêne, n'est-ce pas?

Bon, on devient maladroit quand on se met en colère, alors le grand-père aurait peut-être marché sur Chêne même s'il n'avait pas eu les yeux bandés. Et il n'a pas fait attention. Il a appelé ça une *petite collision* et il ne s'est pas excusé! Enfin — Sumac tente de se rappeler — il a peut-être dit un petit « désolé », mais on voyait bien qu'il n'était pas sincère.

Ce qu'elle a raconté hier soir n'était peut-être pas vrai dans chaque petit détail, mais ce n'était pas loin de la réalité, parce que Gripette a probablement envie d'écraser tous les Loteau. C'est un parasite, il prend tout et ne donne rien.

Grrr. Sumac doit sortir de cette chambre-pas-à-elle. Alors qu'elle descend l'escalier, elle passe devant la porte de la tourelle de Catalpa et entend Chêne babiller comme d'habitude. Elle jette un coup d'œil à l'intérieur.

Et elle voit Chêne qui joue avec trois brosses à cheveux tandis que Catalpa embrasse un garçon. Sumac aperçoit à peine le visage du garçon.

— *Sors d'ici*, persifle Catalpa.

— Désolée, oui, je sors, je sors.

Elle referme vite la porte. Chêne se met à geindre.

Elle pense à dire au parent le plus proche que Catalpa ne s'occupe pas vraiment du doigt de Chêne. Puis elle décide qu'il vaut mieux, pour une fois, ne pas ouvrir la bouche.

Elle suit un effluve de tarte chaude jusqu'au mess. Sic est là. Il sirote un thé glacé au gingembre.

— Mais pourquoi Mme Zhao t'a-t-elle amené à une intersection achalandée le premier jour? demande Mamenthe.

— Elle n'a peur de rien. Elle est habituée à circuler dans Beijing, répond Sic d'une voix tremblante. Quand elle crie, je ne comprends rien à cause de son accent, mais je n'ose pas le dire de peur qu'elle ne se fâche encore plus…

— Elle est peut-être moins autoritaire que confucéenne, suggère Papadum.

— Confuse? demande Aubépine, qui se tient en équilibre sur les mains contre le réfrigérateur.

— Le confucianisme, l'ancienne philosophie chinoise, lui explique Mamenthe. Les jeunes doivent respecter leurs aînés et ainsi de suite.

— Aîné ne veut pas toujours dire plus sage, fait valoir Sapin.

Sumac comprend qu'ils pensent tous à Gripette.

Catalpa arrive, Chêne sur sa hanche et le garçon au baiser derrière elle. Il est pâle et maigre, tout vêtu de noir comme elle. Son visage est plutôt intéressant, à présent que Sumac peut le voir.

— Quinn, prendrais-tu un morceau de tarte aux pêches? propose Papadum.

Ah! Comme ça le Quinn du tricot urbain et de la Gamme de fer n'est pas une fille!

Il esquisse un sourire de travers et secoue la tête au lieu de répondre. Les Loteau produisent parfois cet effet sur les visiteurs : ils restent sans voix.

— Il doit partir, dit fermement Catalpa.

En sortant, Quinn tape dans la main de Chêne — sa main valide.

— Je ne sais pas s'il a pris ses médicaments, murmure Mamenthe à Papadum.

Gripette, encore une fois : personne n'a besoin de prononcer son nom.

— Puis-je lui porter une part de tarte? demande Sic.

— Bien sûr, essayons ça, approuve Mamenthe. L'eau bout.

— Fort, avec du lait et deux cuillerées de sucre, ajoute Papadum.

— C'est comme ça qu'on récompense celui qui fait une crise?

Sumac ne voulait pas le dire à voix haute. Ils se tournent tous vers elle.

— Il a écrasé le doigt Chêne et on lui donne de la tarte? chuchote-t-elle.

— Sumac, ton grand-père n'a rien avalé depuis hier et la faim rend les gens irritables, dit Papadum. Il sera plus apte à avoir une conversation sérieuse quand le taux de sucre aura remonté dans son sang.

— Il a une boîte de caramels sous son lit, dit Aubépine, en équilibre sur une jambe et se penchant pour faire la lettre T.

Papadum hausse les sourcils.

— Et qu'est-ce que tu faisais sous son lit?

— Je cherchais juste quelque chose...

— Ouais, du caramel, dit Sapin.

— C'est le moment de la glace, annonce Mamenthe.

Elle s'approche de Chêne avec la poche de glace bleu pâle, mais il rampe sous la table.

— Bon, comme tu veux, soupire-t-elle.

— Écoutez, les enfants, commence Papaye. Ce qui s'est passé hier soir était notre faute.

— Il veut dire nous, les parents, précise Mamenthe. La responsabilité est un hamac.

— Hein? demande Aubépine qui se tient de nouveau en équilibre sur les mains.

— C'est bien qu'il soit souple, que nous nous en occupions à tour de rôle, explique Mamenthe, mais si le hamac s'étire trop et qu'une personne tombe à travers...

— J'aurais dû rester dans la salle conviviale pendant que j'étais au téléphone, ronchonne Sapin.

— Non, c'était ma faute, l'interrompt Catalpa. J'aurais dû voir Chêne sortir de ma chambre. J'ai seulement tourné le dos une minute pour montrer un site Web sur le crochet à Aubépine...

— Un de nous, les adultes, aurait dû être présent, dit Mamandine. Ian a une assez bonne vue, mais les jeux de poursuite peuvent être dangereux.

Personne n'a donc pensé à leur parler du bandeau. C'est peut-être le moment de le faire, pense Sumac. Elle ouvre la bouche pour parler...

Pas un mot ne sort.

Papaye lui tend une assiette avec une pointe de tarte dont la garniture odorante déborde de la croûte.

Parfois, l'amour *est* une tarte. C'est juste qu'il n'y en a pas assez pour tout le monde. Ou bien, d'accord, il y a assez d'amour, mais comme on manque de temps et d'attention, il faut saisir son morceau, puis la tarte se brise en morceaux et on se bat pour les miettes...

Et si elle avait une toute petite famille? Deux parents, peut-être, un frère ou une sœur. Ou si elle était enfant unique, comme Isabella. Quelque chose de clair et net.

Elle ferme les yeux. Elle voudrait pouvoir s'envoler vers l'antique pays de Sumer.

Sic revient en trombe dans le mess.

— Il est parti, halète-t-il.

Ils passent les trente-deux pièces de la Cameloterie au peigne fin, à la recherche de l'endroit où Gripette aurait pu se cacher. Toutes les bicyclettes sont dehors sur le porte-vélos. La brousse, le fort dans l'arbre… Aucun signe de Gripette. Sapin part à sa recherche dans le ravin avec Diamant.

Sumac inspecte tous les placards et les endroits assez grands pour permettre à quelqu'un de s'y blottir. Quand elle ouvre à la volée la porte de la lingerie, elle surprend Quartz et toutes deux poussent un cri de terreur. Puis la chatte dégringole de son lit de serviettes et s'enfuit.

Dans la gripetterie, les têtes d'animaux accrochées au mur dévisagent Sumac.

Dans la galerie des miroirs, elle entend Mamandine organiser deux groupes de recherche formés d'adolescents et d'adultes; ils sillonneront la rue dans chaque direction, frapperont aux portes.

Les quelques vêtements informes du vieil homme pendent dans sa garde-robe. Le cendrier est vide. À première vue, rien n'a changé.

Gripette a peut-être sauté d'un pont, parce que ce serait encore préférable à la vie ici.

Des fleurs violettes sur la page d'août. Quand un monarque a besoin d'une touffe d'asclépiades, c'est ce qu'il recherche, parce qu'aucune autre plante ne fera l'affaire.

— L'aéroport! crie Sumac.

Elle court dans la galerie des miroirs et entre en collision avec Papaye.

— Il va prendre l'avion pour retourner à Faro.

Il la regarde fixement. Puis il se retourne et hurle à son tour :

— L'aéroport!

Confusion, consultation : ils appellent un taxi. Papaye ira parce qu'il est son fils. Et Mamandine parce qu'elle semble être celle que Gripette déteste le moins. Et Sic et Catalpa, car ce sont des ados aux longues jambes qui feront le tour du terminal au pas de course.

— J'ai des jambes super longues, moi aussi, dit Aubépine, qui en agite une, puis l'autre.

— Je cours plus vite que Catalpa, ajoute Sapin.

— J'y vais aussi, insiste Sumac, à sa propre surprise.

— Il n'y aura pas assez de place, lui dit Papadum.

— Je n'en prends pas beaucoup.

— Je suis incapable de rester ici sans savoir ce qui arrive, dit Mamenthe en faisant sauter Chêne dans ses bras.

— Bon, allons-y tous, cède Papadum.

Il saisit le téléphone de Papaye et appuie sur la touche « Recomposer ».

— Bonjour, nous venons de demander un taxi… pouvez-vous nous envoyer plutôt deux fourgonnettes?

Sumac s'assoit dans le véhicule avec les mères (après une petite discussion avec Bruno qui veut porter son camion de pompier, surtout qu'il s'agit d'un cas d'urgence). Elles regardent par la fenêtre au cas où Gripette aurait manqué d'argent pour payer le trajet et qu'on l'ait fait descendre quelques rues plus loin. (*Ou au cas où je me serais trompée*, pense Sumac, affolée. *Et si j'amenais tout le monde dans la direction opposée au pont d'où il est en train de sauter?*)

Une fois sur l'autoroute, il n'y a plus de piétons, mais Sumac scrute quand même l'horizon, à la recherche d'un grand homme barbu marchant à grandes enjambées dans ses bottes d'ouvrier. Selon l'horloge du tableau de bord, ils mettent moins d'une demi-heure pour atteindre l'aéroport, mais cela paraît une éternité.

Le terminal 1 ressemble à un élégant œil de verre. Le taxi ralentit, dépasse des inuksuit géants qui montent la garde à la section des départs. Les Loteau sortent des voitures et empruntent l'escalier roulant.

Sous le plafond voûté du niveau 3, la grande salle des enregistrements est bondée. Même si Sumac a vu juste, comment feront-ils pour retrouver leur grand-père?

— Bien, dit Mamandine en rassemblant Sumac, Aubépine et Sapin en un petit groupe, vous êtes le camp de base. Je vais m'informer au comptoir des billets, et Mamenthe fera le tour des toilettes et des cafés.

— Tu n'as pas le droit d'entrer dans celles des hommes, rappelle Sapin à Mamenthe.

Puis il part en courant.

Aubépine sautille sur place.

— Peux-tu cesser de faire le babouin l'espace d'une minute? lui demande Sumac.

— J'essaie de repérer Gripette dans la foule, riposte Aubépine.

Des bambins qui courent, des mères et des grands-mères en saris, des juifs orthodoxes avec leurs chapeaux et leurs bouclettes, des femmes mennonites en robes longues, coiffées de foulards... Sumac regarde dans toutes les directions, se sentant complètement inutile. Non, c'est encore pire.

— Penses-tu qu'il y a un genre de service des personnes perdues? demande Aubépine.

— Il n'est pas perdu, riposte Sumac. Il veut seulement rentrer chez lui.

Revenez! gémit-elle dans sa tête.

La nuit dernière, elle aurait dû dire haut et fort que c'était entièrement par accident que Gripette avait marché sur le doigt de Chêne. Que c'était le genre de chose qui arrive tout le temps dans une grande maison chaotique; le genre de chose qui n'est la faute de personne.

Mais *ça*, la fuite du grand-père, c'est la faute de Sumac. Il a tant de choses à assumer. Ses sourcils ont brûlé. Il a été éjecté de sa propre vie et s'est retrouvé au milieu d'une autre qu'il ne reconnaît pas. Le pipi qui reste dans la cuvette des toilettes, les animaux de compagnie handicapés, les drôles de légumes, les portes qui claquent, les enfants dans les jambes, tous ces pédants qui pérorent en même temps à propos de choses dont il n'a jamais entendu parler. Perdre la boule, se faire humilier et piquer par de l'herbe à puce. Il a supporté tout ça, tout, jusqu'à ce que Sumac vénéneux, complotant pour l'expédier dans un soi-disant foyer, raconte à toute la famille qu'il était une brute et qu'il avait délibérément écrasé le doigt de leur petit garçon.

Sumac transpire de panique malgré l'air conditionné de l'aéroport.

Gripette se sent probablement aussi mal, pour des raisons différentes. Coupable à propos de Chêne et malheureux à propos de tout, stressé par ces foules de gens. En ce moment précis, il tente de s'éloigner de tout le monde et de trouver un peu d'espace où respirer.

Il y a un long mur de verre plus loin. Sumac voit la ligne d'horizon de la ville, gris contre rose, et les lumières rouges de la Tour CN évoquant un Big Mac embroché sur un parapluie. Une vision qui doit paraître étrangère à un homme comme Gripette, originaire d'une petite ville.

Là? Tout contre la fenêtre, à côté d'une colonne blanche, où il y a un petit espace. Juste une manche visible derrière un chariot sur lequel sont empilées cinq énormes valises.

Sumac fait un pas vers la gauche et se tord le cou. Elle voudrait presque que ce ne soit pas lui.

C'est la tête chauve de Gripette appuyée contre la vitre. Ses doigts bosselés, noués ensemble comme s'il était épuisé, ou en attente. Pas le meilleur des grands-pères. Pas même un grand-père moyennement bon. Les Loteau ne l'auraient jamais choisi comme grand-père, et lui ne les aurait jamais choisis comme petits-enfants. Mais c'est le leur.

Aubépine se sert de ses mains comme jumelles et fredonne le thème de *Mission : Impossible*. Elle ne remarque même pas que Sumac s'éloigne.

Elle se dirige très lentement vers lui.

— Salut, Gripette.

Le vieil homme sursaute et cligne des yeux. Elle voit sa bouche se tordre.

— Sue. Sue?

— Sumac, comme l'arbre. Mais les gens entendent parfois Sue MacLoteau, ajoute-t-elle pour poursuivre la conversation.

Elle imagine toujours Sue comme une fille normale, dotée de talents multiples, merveilleusement ordinaire.

— J'ai connu des MacLaughtery à Glasgow.

Elle est surprise.

— C'est un vrai nom?

— MacLaughtery? Bien sûr. Bien plus vrrrai que Loteau, tu peux me crrroirrre.

Elle sourit presque.

— Comment l'épelez-vous?

— *L-a-u-g-h-t-e-r*, comme « rire » en anglais, avec un « y » à la fin. Si jamais tu vas en Écosse, tu pourras te présenter comme Sue MacLaughtery.

Sumac décide qu'un jour, elle ira en Écosse. Puis elle ira dans le sud de l'Angleterre et elle s'amusera bien avec sa cousine Seren. Elle fera le tour du monde toute seule, et pour les gens qu'elle rencontrera, elle ne sera pas seulement une des Loteau, elle sera Sumac Loteau (Ou même Sue McLaughtery, si elle préfère.)

Un avion décolle, se dirigeant vers l'ouest. Gripette le suit des yeux.

— Ils ont annulé ma fichue carte de crrrédit, dit-il comme s'il se parlait à lui-même.

Sumac pense à tous les pouvoirs spéciaux qu'on détient quand on devient un adulte : des cartes de crédit, des permis de conduire et des tas d'autres choses. Elle n'aurait jamais pensé qu'on pouvait vous les retirer quand on était vieux.

— Vous essayiez de retourner à Faro?

Il hoche la tête.

— Ma petite maison. Mon auto. J'ai encore mon perrrmis de conduirre.

Il tapote la poche arrière de son pantalon. Puis il fronce les sourcils.

— À moins qu'ils aient annulé ça aussi.

— Ils voulaient juste que vous soyez…

En sécurité? En santé? Heureux? Sumac ne sait pas quoi dire.

— On veut que vous restiez.

Il la dévisage de ses yeux larmoyants.

C'est alors seulement qu'elle entend des cris à l'arrière-plan.

— Sumac! Sumac!

Sa famille doit penser qu'elle aussi est perdue maintenant.

— Nous sommes tous venus vous chercher, dit-elle à Gripette.

— Quoi? Toute la bande?

— Sumac!

Elle se retourne et agite la main jusqu'à ce qu'ils la voient.

CHAPITRE 12

LES ÉTIQUETTES

Pendant le trajet du retour dans la fourgonnette, celle dans laquelle le grand-père n'est pas monté, Sumac ne dit rien. Elle est si fatiguée, elle a le vertige.

Pour le souper, des toasts beurrés et rien d'autre. C'est même du pain blanc; Papadum a dû l'acheter spécialement pour Gripette.

Une fois Chêne endormi (Bruno a refusé d'aller se coucher et n'a même pas voulu mettre son pyjama bien que Sumac lui ait lu trois fois *La sorcière dans les airs)*, ils tiennent un consille à côté du trampoline. (Bien à l'écart de la maison pour que le grand-père ne les entende pas, pense Sumac.)

Bruno est couchée sur le dos au milieu, dans son camion de pompier. Elle agite les bras et les jambes, telle une coccinelle égarée. Aubépine danse le moonwalk sur les bords du trampoline pour essayer pour essayer de faire monter Bruno dans les airs.

— Hier soir, nous avons téléphoné à la résidence Soleil couchant, commence Mamandine.

Sumac sursaute. Celle qu'elle a montrée dans son horrible présentation? Celle qui lui a valu tant de reproches de la part de sa famille?

— Celle avec la salle de cinéma? demande Catalpa.

Sic pousse un grognement.

— Nous irons la visiter avec Ian demain pour voir comment ça lui plaît, ajoute Mamandine.

Ça ne lui plaira pas. Sumac en est soudain convaincue.

— Il ne veut pas voir de films, persifle Sapin. Vous ne pouvez pas trouver une autre façon de le punir?

— Ce n'est pas une punition, dit Papadum.

Gripette va détester le Soleil couchant encore plus qu'il déteste la Cameloterie, pense Sumac. Il dira que la piscine résistante n'est *pas naturelle* et qu'il aimerait mieux nager dans le lac, mais les infirmières *24 heures sur 24* ne le lui permettront pas. Il refusera de jouer au billard ou aux cartes, de visiter les attractions en autocar avec les autres aînés. Il ne sera probablement pas autorisé à fumer même dans la pergola du jardin. Personne ne lui accordera aucune importance parce qu'ils ne connaissent pas Ian Miller. Pour eux, il n'est personne.

— C'est pour nous assurer que votre grand-père puisse recevoir les soins dont il a besoin, explique Mamandine.

— Ouais, c'est ça, maugrée Sic.

Aubépine rebondit sans parler, pour une fois; elle observe les visages. Bruno bâille et observe les étoiles. Le moniteur sur la ceinture de Mamandine transmet les petits murmures de Chêne qui rêve.

— Attaquer Chêne, puis cette fugue… de toute évidence, la démence d'Ian s'aggrave rapidement, dit Papadum.

Sumac est incapable de parler : on dirait que sa gorge a été remplie de ciment.

Une larme roule sur le nez de Mamenthe, et Mamandine l'entoure de son bras.

— Nous nous sommes peut-être montrés naïfs, sanglote Mamenthe. Nous nous en sommes bien trop mis sur les épaules. C'est ce qui arrive quand on est une famille qui aime dire *pourquoi pas*, conclut-elle en riant presque.

— J'ai eu tort. C'est mon père, dit Papaye d'une voix rauque. C'est moi qui ai eu, au départ, cette grande idée idiote.

— Ça valait la peine d'essayer, dit Papadum.

— Les expériences sont toujours valables, approuve Mamandine.

— Non! interrompt Sumac.

Elle cligne les yeux pour refouler ses larmes.

— Il y a quelque chose que je… je… je…

— Respire, *beta*, lui conseille Papadum.

Ce que Sic a dit à son grand-père sur elle était-il vrai?

— Je ne suis pas une autruche, euh... triche, une tricheuse, je veux dire, gémit-elle. Mais je suis une menteuse — un mot horrible à dire. Je regrette tellement. C'était un mensonge de ne pas expliquer à propos du jeu.

— Quel jeu? demande Mamenthe.

— On jouait à colin-maillard, comme à l'époque napoléonienne... les temps anciens. Gripette avait les yeux bandés, vous comprenez? Quand il a marché sur Chêne.

Mamandine hoche la tête : elle comprend.

— Eh bien, c'est un soulagement, chuchote Papaye.

Et c'est vrai : Sumac se sent déjà tellement plus légère, comme si elle avait laissé tomber un sac très lourd.

Aubépine cesse de la regarder d'un air accusateur; elle sourit.

— Tu n'es pas une autruche, Sumac, tu es une mante religieuse.

— Hein?

— Tu as menti, tu es une mante, tu comprends? Tu comprends?

Au prix d'un immense effort, Sumac ignore sa sœur.

— Alors, il peut rester? demande-t-elle aux adultes.

Mais leurs têtes de cent pieds de long lui disent qu'elle a mal évalué la situation.

— C'était un accident, reprend-elle, les mots se bousculant dans sa bouche. C'est complètement par hasard que Chêne a rampé sous la botte de Gripette!

Était-ce la malchance des Loteau qui attendait depuis toutes ces années le moment de se manifester?

— N'empêche qu'Ian a besoin de soins constants, explique Mamandine, de la supervision de professionnels pour ne pas se blesser ou blesser quelqu'un d'autre.

— Ou faire une nouvelle fugue, renchérit Papadum.

— Il n'a pas fugué! glapit Sumac. Il n'a pas traversé une voie ferrée. Il s'est rendu à l'aéroport en taxi, ce qui est parfaitement sensé, et il serait allé jusqu'à Faro si vous n'aviez pas annulé sa carte de crédit, mesquins que vous êtes!

— C'est vrai, soupire Papaye. Mais mon père a besoin de tellement d'aide.

Sumac se débat l'espace d'une seconde. Les parents n'ont pas vu Gripette comme elle l'a vu, tout voûté et complètement incongru contre l'imposant mur de verre de l'aéroport. Ils ne comprennent pas qu'il fait désormais partie des Loteau.

Puis, en apercevant Bruno recroquevillée dans son camion de pompier au milieu du trampoline, elle a une inspiration.

— Chêne a besoin d'aide lui aussi, dit-elle, mais nous ne l'enverrons jamais vivre avec des inconnus!

— Éminemment logique, comme toujours, murmure Mamandine.

— Oh, arrête…, dit Papadum.

— On appelle ça nou… nouro…

Grrr. Quel est le mot, déjà? se demande Sumac.

— Noureyev? Le danseur de ballet? suggère Papaye, déconcerté.

— Les cerveaux ne sont pas tous pareils, dit Sumac. Et c'est bien.

— Neurodiversité, tranche Mamandine, qui approuve d'un signe de tête.

— La différence, c'est que nous aimons tous Chêne, dit Papadum.

— Bon, mais je parie que si nous faisions un peu plus d'efforts, nous pourrions aimer Gripette, dit Sumac en les regardant en face à tour de rôle. Il n'est ici que depuis trois semaines et demie. Les choses vont sûrement devenir plus faciles, non? C'est comme les baies de sureau : quand on les fait cuire, elles deviennent amicales pour nos estomacs.

Mamenthe prend la main de Sumac, qui cherche le bon argument.

— C'est comme ton proverbe, dit-elle à Papadum. On n'a monté que la moitié du cocotier et il ne sert à rien de s'arrêter là parce que nous n'avons pas encore la moitié d'une noix de coco.

— Mais Sumac…

— Il est notre invité, il est des *nôtres*, rugit-elle. C'est à prendre ou à laisser.

*

Bruno passe la semaine entière à surveiller le grand-père, les sourcils froncés, de peur qu'il ne marche de nouveau sur Chêne.

— Moi plus te détester maintenant, annonce-t-elle finalement pendant le souper.

Après un terrible silence, Gripette répond :

— Merrrci.

— Chêne lui non plus.

— Content de l'apprrrendrrre.

Gripette serre la main de Chêne (pas celle qui a les doigts bandés). Puis il fait la chose la plus farfelue : il replie sa grosse oreille marbrée de taches brunes et de veines rouges dans sa cavité, se bouche le nez et souffle. L'oreille ressort de son trou.

Chêne rit tellement que sa couche fuit.

Ou bien Gripette fait d'immenses efforts pour s'adapter, ou bien ses pilules contribuent à ralentir la formation de trous dans son cerveau, pense Sumac. Mamenthe dit que les Loteau commencent peut-être à mieux le connaître. (Prenons les têtes empaillées accrochées au mur dans sa chambre — le carcajou, le caribou et le mouflon : en fin de compte, ce n'est pas lui qui a abattu ces animaux, il les a simplement achetées à des ventes-débarras.) Et puis, les parents se sont habitués à le surveiller à tour de rôle, à son insu, pour ne pas provoquer sa colère. Il semble même manger davantage des *salades bizarres* de Papadum. À moins que celui-ci mette peut-être un peu moins d'ingrédients bizarres pour inciter Gripette à en manger?

Leur grand-père participe au consille suivant et les toilettes sont le premier point à l'ordre du jour. Les Loteau acceptent un compromis : on tirera la chasse d'eau chaque fois, mais une retenue d'eau sera installée dans les réservoirs pour réduire la quantité utilisée d'environ un tiers. (Bruno est maintenant complètement déboussolée; Sumac pense que sa petite sœur la tire peut-être avant de faire pipi, après, et parfois — à en juger par les petits cris qui proviennent de la salle de bains — pendant).

Le grand-père passe encore beaucoup de temps dans sa chambre. (Plusieurs Loteau ont offert de recouvrir le mur avec le ciel, les nuages et le soleil, mais il leur a répondu de ne pas se donner cette peine. Sumac a donc l'impression que ça lui plaît.) On le retrouve aussi dans la fosse d'orchestre parfois — il joue assez bien du piano —, dans l'arrière-cour à lire le journal, ou même (lentement) sur le tapis roulant.

Gripette et Bruno gardent les billes achetées au magasin de jouets dans une boîte métallique cachée dans la brousse pour que Chêne ne les avale pas. Ils les sortent tous les après-midis quand Chêne fait la sieste; ils ont des conversations très ennuyeuses sur les grosses et celles qui sont en verre coloré. Bruno semble gagner toutes les billes de verre de Gripette, mais peut-être la laisse-t-il gagner. Puis, tous les soirs après le souper, Mamandine fume son unique cigarette de la journée en sa compagnie, et Sapin et Diamant l'invitent à aller voir avec eux ce qu'il y a de nouveau dans le ravin.

Pince-sans-rire, Gripette taquine Catalpa à propos de la longueur des cheveux de Quinn; il lui demande si ce garçon est capable de parler ou s'il est né sans langue. Quand Catalpa accepte finalement de faire écouter à la famille la chanson *Happy* interprétée par Gamme de fer (que Sic a déjà téléchargée en ligne et qu'il a déclarée «moins pénible qu'on aurait pu s'y attendre»), Gripette dodeline de la tête, très sérieux, comme s'il écoutait du Bach.

Sumac l'entend dire à Aubépine qu'elle est le portrait tout craché de sa grand-mère, la première Elspeth. Elle est sur le point de lui dire que les parents biologiques d'Aubépine sont en réalité Mamenthe et Papadum et qu'elle n'a aucun de ses gènes ou de ceux de sa femme décédée… mais elle décide que c'est probablement un autre moment où le silence est d'or.

Pour sa part, Sumac discute de livres avec lui, surtout de livres anciens. Il est ravi d'apprendre qu'elle a lu *La princesse et le gobelin*, parce que l'auteur, George

MacDonald, est écossais et qu'il est question de mines dans le bouquin; il a lui-même été ingénieur des mines pendant quarante ans.

Tout ce temps-là, il avait l'impression que Sumac avait environ douze ans, mais qu'elle était « petite pour son âge, à cause de l'orrrphelinat, tu sais. »

— Je n'ai jamais vécu dans un orphelinat, vous vous rappelez?

— Oh! C'est vrrrai, répond-il, comme s'il doutait de la mémoire de Sumac, mais qu'il ne voulait pas lui rappeler de mauvais souvenirs.

De toute façon, elle suppose qu'elle doit prendre comme un compliment le fait qu'il l'ait crue assez mature pour avoir douze ans au lieu de neuf.

Le dimanche soir, Sumac croise Sic qui noue ses lacets fluo dans le corridor et écrit « vroum-vroum avec Lin-Lin » sur le tableau « Où nous sommes ».

— C'est qui, Lin-Lin? demande-t-elle.

— Ça se traduit par « beauté d'un tintement de clochette », répond-il avec un rire creux.

— Mme Zhao?

— *Dui*, dit-il en hochant la tête – alors ça doit vouloir dire « oui ». J'ai vu ça sur sa facture de téléphone.

Il s'est donné le défi de tirer le maximum de ses cours de conduite en apprenant cent mots de mandarin.

— C'est plutôt la beauté d'un coup de gong. *Regarde ton miroir!* continue-t-il en prenant l'accent sévère de Mme Zhao. *Les yeux regardent là où tu veux aller!*

— Alors, elle est un peu moins autoritaire?

— Les adultes ne changent pas, petite, dit Sic en lui tapotant l'épaule. On s'habitue à eux, c'est tout. On trouve quelques moyens de s'entendre avec eux.

— Et elle s'est déjà habituée à toi? s'étonne Sumac qui remarque ses chaussettes : une à losanges gris, l'autre avec Winnie l'ourson.

Il sourit.

— Maintenant qu'elle a compris que j'ai deux mères et deux pères, elle veut que je leur obéisse à tous en tout temps; la piété filiale multipliée par quatre.

— Qu'est-ce que fili…

— Être gentil avec ses parents. *Travailler fort, garder la famille forte!* Et ça l'impressionne que Gripette habite avec nous — de la piété filiale multipliée par plein de fois.

— Et tu conduis mieux? pense-t-elle à demander quand son frère est à mi-chemin de la porte.

— *Bù zhīdào* , répond-il avec un geste de la main qui veut dire « comme ci, comme ça ». Difficile de le savoir puisqu'elle passe son temps à me traiter d'idiot.

Dans la brousse, les autres attendent Sumac pour diriger le marquage des monarques.

Un couple d'experts en papillons a entrepris le projet à Toronto dans les années 1940. Le meilleur moment est le coucher du soleil, quand les monarques se posent. On rampe derrière et on abat son filet sur le papillon, puis on replie le filet sur le manche pour que le papillon ne puisse pas s'échapper. D'une main, on tient le bout des ailes à travers le filet, puis on passe l'autre main et on attrape

doucement le papillon par son dos. Seuls les mâles ont une tache noire sur l'aile postérieure.

— J'en ai un! crie Aubépine.

Sumac va vérifier.

— Non, c'est un vice-roi. Tu vois la ligne noire qui traverse les ailes postérieures?

Aubépine fait sa pire grimace à Sumac et retourne son filet à l'envers pour libérer le vice-roi.

Bruno les poursuit en agitant son filet et en hurlant «Arrête, papillon!» Comme ils volent à environ vingt kilomètres à l'heure, elle n'a aucune chance, surtout dans son camion de pompier, mais personne ne veut la décourager. Bruno a les jambes sanguinolentes à force d'avoir gratté ses pustules, mais elle ne semble même pas s'en apercevoir.

Les doigts des enfants sont plus habiles que ceux des adultes pour coller les minuscules étiquettes de marquage. Il faut ensuite noter sur le formulaire le code de l'étiquette, la date, le lieu, son nom et son adresse, peler le dos de l'étiquette et la presser sur la cellule en forme de mitaine sur l'aile… puis relâcher le monarque sur le nez du jeune qui l'a attrapé. Ce dernier point n'est pas de la science, juste une tradition. Ça chatouille, mais c'est fascinant : on a l'impression d'être la rampe de lancement d'une toute petite fusée.

— On fait ça pour que la personne qui trouve ce papillon, après qu'il est allé au Mexique, qu'il en est revenu et qu'il est mort, envoie un courriel pour dire où il a fini, explique Sumac à Bruno.

— Moi veux pas qu'il meure!

— Il meurt de vieillesse, c'est tout, dit Sumac, qui regrette d'avoir mentionné ce détail. Il est sûrement épuisé après tout ça.

— Nous aussi?

— Non, nous serons encore jeunes au printemps.

— Gripette! dit Aubépine.

— Il est vieux, tu veux dire?

— Non, je veux dire qu'on pourrait lui mettre une étiquette au cas où on le perdrait de nouveau. Peut-être électronique, comme le machin sur la valise de Mamenthe qui émet un bip si elle s'en éloigne trop.

— Je ne crois pas que ça lui plairait, répond Sumac en fronçant les sourcils. Il aurait peut-être l'impression d'être un chien, ou d'être assigné à résidence.

— Ça ne lui donnerait pas de décharge électrique ni rien du genre, fait valoir Aubépine.

— Non, mais imagine qu'il va se promener et que le truc se met à sonner… Bizarre!

Ne trouvant pas d'autres monarques, ils rentrent à la maison. Topaze se prélasse dans un rayon de soleil comme une étoile de mer au pelage orangé. Aubépine s'agenouille pour lui caresser le ventre. Papadum et Gripette transplantent des échalotes dans le potager. En observant les deux hommes qui travaillent penchés, sans dire un mot, Sumac se dit que, pour Gripette, Papadum serait peut-être un meilleur fils.

Bruno veut faire une course d'escargots, alors Sumac, Aubépine et elle en trouvent chacune un dans les buissons et les déposent sur une planche à l'ombre. Elles tracent à la craie une ligne de départ et une ligne d'arrivée.

Sumac se souvient d'une blague de son livre; elle convient parfaitement à l'occasion. Elle inspire profondément et pense à ne pas annoncer qu'elle va raconter une blague.

— Que dit un escargot sur le dos d'une tortue?

Aubépine la regarde avec circonspection.

Pour la chute, Sumac s'efforce d'imiter le mieux possible l'expression d'un escargot à cheval.

— Yeeeeehaaaaa!

Aubépine, Bruno, Papadum et même Gripette éclatent de rire.

— Tu as réussi! s'exclame Aubépine.

Sumac lui tire la langue, mais elle sourit.

— Yeeeehaaaaa! répète Gripette en gloussant.

Papadum se redresse et arque son dos jusqu'à ce qu'il craque.

— Votre grand-père est très habile avec un plantoir, dit-il.

— *Creusons, creusons, creusons,* chante Gripette à voix basse.

Nous aurons des muscles en béton.

Ignorons les vers de terre
qui tortillent leur derrière ...

Tous les enfants se mettent à rire.

— J'avais un club pour le cochon, ajoute-t-il.

— Pourquoi faire? demande Aubépine.

— Avec le cochon?

— Non, le club.

— On ramassait des épluchurrres, on nourrissait notre cochon avec tout ce qu'on trrrouvait. Des lapins aussi.

— Vous lui donniez des *lapins* à manger? s'écrie Sumac, horrifiée.

— Mais non, idiote! On garrrdait aussi quelques lapins. En plus.

— Toi leur montrais des tours? veut savoir Bruno.

Il la regarde fixement.

— Les enfants aujourd'hui, aucun sens de la réalité. Les lapins allaient dans la marrrmite!

Il fait semblant de mastiquer.

— Mais le jour des saucisses, quand on tuait le cochon (avec un doigt, il fait comme s'il se tranchait la gorge), c'était le meilleur.

Le visage de Bruno se chiffonne.

— C'était pendant la guerre, non? demande Papadum. Vous deviez avoir faim.

— Pas le jour des saucisses, répond Gripette en enfonçant son plantoir dans la terre.

*

Bruno veut absolument porter son camion de pompier à la projection du *Magicien d'Oz*, parce que c'est comme aller au ciné-parc.

— Pas vraiment, dit Sic.

Le film sera projeté dans le parc au bout de la rue; un grand drap blanc suspendu à un mur sert d'écran. Il commencera vers vingt heures vingt pour que les spectateurs n'aient pas les derniers rayons du soleil dans les yeux.

Papaye rejoint immédiatement les joueurs de tam-tam sous le grand noyer. Mamenthe étale la couverture noire et rouge avec le corbeau et Papadum sert son thé à la menthe maison et du lait au chocolat qu'il a apportés dans deux gros pichets. Les gens achètent de la bière gardée dans des glacières et font griller des hot-dogs et des brochettes sur un feu de camp. Tout ça sent tellement bon, Sumac a faim même si elle a mangé du saumon au cari sur une planche il y a à peine une heure. Une vidéo musicale commence; les enfants et quelques adultes caracolent déjà.

Un homme pousse un chariot sur lequel on peut lire *Actes de bonté et de beauté insensée;* il offre des tranches de melon d'eau.

— Ici! crie Catalpa. Onze!

— Nous pouvons partager, la rabroue Mamenthe.

L'homme a d'énormes bouchons noirs sur les lobes de ses oreilles et la tête rasée avec deux chignons au sommet.

— Pas de problème, c'est du billard, onze morceaux.

— En fait, c'est douze, désolée, intervient Sumac. Avant, nous étions onze, mais notre grand-père habite avec nous, maintenant.

Elle suppose que, petit à petit, Gripette deviendra lui aussi un Loteau.

— Une douzaine complète, génial, dit le distributeur de pastèque.

Comme les œufs, pense Sumac, *les mois, ou les roses.*

Le lion de la MGM rugit maintenant sur l'écran et les violons font entendre leur musique dans les haut-parleurs cachés dans les buissons. Bruno dit que c'est *trop beaucoup fort* et Gripette lui couvre les oreilles avec ses mains.

Sumac se dit que ce n'est pas vraiment *génial* de l'avoir à la Cameloterie. Ça ressemble davantage à un jeu de ficelle compliqué qu'Aubépine s'acharne à réussir jusqu'à ce qu'on comprenne ce que c'est. Et pourtant, à la fin, c'est *parfait.*

Le lendemain matin, Bruno a perdu son camion de pompier — parce qu'elle s'est endormie avant que Dorothy ne rencontre les Munchkins; Papadum l'a portée à la maison quelques heures plus tard et les Loteau ont tous pensé que quelqu'un d'autre s'occupait du camion. Elle pleure toutes les larmes de son corps et insiste pour retourner le chercher au parc « au cas que le voleur lui regrette et le rapporte ».

Sic tente de la consoler avec une interminable histoire sur une famille de ratons laveurs qui l'auraient traîné derrière un buisson pour y élever sept bébés.

— Inutile de brailler, dit Gripette en reniflant.

Bruno pleure encore plus.

Sumac se rappelle exactement pourquoi elle a détesté ce vieil homme dès le premier jour.

— Il rrreste encore plein de boîtes de carrrton, reprend-il. Que dirais-tu d'un Spitfirrre?

— C'est quoi, Spitfire?

Sumac se raidit : est-ce que ça veut dire une fille soupe au lait?

— La fierrrté de l'arrrmée de l'air, le meilleur chasseur monoplace jamais constrrruit, explique-t-il.

Les yeux de Bruno s'illuminent.

C'est aujourd'hui la nuit de la pleine lune d'août et la plupart des Loteau se préparent pour le Rakhi. Sumac et Catalpa décorent les cordons qu'elles noueront aux poignets de leurs frères tandis que Papadum s'escrime avec les truffes au chocolat. Il essaie d'en rouler dans du cacao, des noix, de la cannelle ou de la noix de coco, mais elles lui collent aux mains à cause de la chaleur. Topaze frôle ses jambes et miaule pour recevoir une collation.

— Je peux en faire? demande Aubépine qui entre, luisante d'écran solaire et de sueur.

— Quoi? demande Papadum. Des truffes ou des cordons de Rakhi?

— Les deux.

Et tout le monde claironne à l'unisson :

— Pas en même temps!

Papadum se redresse en grognant.

— Celles-ci doivent retourner dans le frigo pendant quelque temps.

— Alors, je ferai les bracelets, dit Aubépine.

— Pourquoi pas? s'oblige à répondre Sumac.

Mais Aubépine est déjà repartie en disant «Je reviens dans une minute», alors tout va bien, elle va l'oublier.

— Trois frères multipliés par quatre sœurs, ça fait douze, murmure Catalpa.

— En réalité, une femme peut attacher un cordon autour du poignet de tout homme qu'elle considère comme un genre de frère pour la vie, précise Papadum. Vos mères peuvent donc en avoir quatre, elles aussi, et les attacher à Papaye et à moi.

— Fantastique, ronchonne Catalpa, on va passer la journée à trimer comme des esclaves.

Sumac regarde par la fenêtre tout en tressant des bracelets. Gripette est en train d'installer Bruno dans le Spitfire qu'ils ont fabriqué ce matin avec des boîtes; tout excitée, elle agite ses petites jambes. (Allongé à proximité, Sic garde un œil sur eux, plongé dans un gros bouquin intitulé *Cryptonomicon* qu'il a lu si souvent qu'il est cassé en deux.) La touche finale est une hélice faite avec des cintres et du ruban gommé et attachée au nez de l'appareil. Le grand-père se penche et la fait tourner.

— Qu'est-ce qu'on fait pour Gripette? demande Sumac. Il n'a pas de sœur.

— Il en a deux, en fait, mais elles habitent à Glasgow et en Nouvelle-Zélande, répond Papadum.

— Alors, disons qu'il est un genre de frère, lui aussi, suggère Sumac.

— Six de plus, soupire Catalpa.

Mais on voit bien qu'elle s'amuse.

Sumac aussi. Comme sa grande sœur et elle seraient compatibles si seulement elles s'aimaient, pense-t-elle.

— Ammi, dit Papadum qui parle avec sa mère sur Skype, tu pourrais superviser les filles pendant que je mets le bhaji aux oignons dans le four et… Non, je ne le fais pas frire, je le fais rôtir, c'est beaucoup plus sain.

Sumac entend Dadi Ji réagir sur un ton offusqué.

Sur l'écran de la tablette, leur grand-mère observe Catalpa et Sumac décorer leurs fils de soie repliés et noués.

— Avez-vous mêlé des fils d'or aux rouges et aux jaunes? demande-t-elle, approchant son visage si près de la webcaméra qu'elle a l'air de surgir dans la pièce. C'est encore plus propice.

Sumac croise le regard de Catalpa. Elles n'ont plus de fils d'or depuis le cinquième cordon.

— Quelques-uns, répond Catalpa à leur grand-mère. Et beaucoup de perles et de sequins.

— Quand vous les aurez tressés et attachés, n'oubliez pas d'ébouriffer le bout avec une brosse à dents. Bon, laquelle de vous deux prépare le thali spécial?

Catalpa s'attendait à cette question.

— On se demandait si tu pouvais t'en charger, Dadi Ji.

— Si tu préfères, ma chérie, dit la grand-mère en réajustant son voile rose par-dessus ses petites lunettes à monture dorée.

De l'autre côté du mess, Papadum lève les pouces. Parce qu'entre les feuilles de bétel, la lampe diya, la swastika en poudre roli (pour porter chance, pas l'horrible croix nazie), le riz, les bâtons d'encens et Dieu sait quoi d'autre, les Loteau vont sans doute commettre une erreur et offenser profondément une déité quelconque (c'est-à-dire leur grand-mère).

— Bien, vous donnerez des friandises à vos frères et mettrez de la poudre tilak sur leurs fronts. Ont-ils préparé les enveloppes d'argent?

— Les garçons vont aussi donner des sucreries aux filles, lui dit Sumac.

— Ce n'est pas très traditionnel, remarque-t-elle sur un ton de reproche.

— Voyons les choses en face, Ammi : nous non plus, lance Papadum.

Un peu plus tard, Gripette et Bruno titubent dans le mess, le visage très rouge, en manque de limonade.

— Ça ira si nous vous mettons des bracelets pendant la fête, Gripette? lui demande Catalpa.

— Quelle fête?

— Le Rakhi, lui rappelle Sumac pour la troisième fois aujourd'hui. Le seul festival au monde qui célèbre les frères et les sœurs.

— Tout ça me parrraît un peu déguisé, marmonne-t-il en tripotant sa nouvelle grosse montre noire.

Par *déguisé*, il veut dire hindou. Mais Sumac laisse passer.

— On peut?

— Ça m'est complètement égal.

— C'est écrit « mardi 20 août », s'écrie Aubépine qui lit sur la montre de Gripette par-dessus son épaule. Injuste! Je veux une montre qui me dit tout ça.

— Tu as deux montres, dit Sumac, mais tu ne penses jamais à les porter.

— Tu ne vas même pas à l'école, mamzelle, renchérit Gripette. Alors qu'est-ce que ça peut bien te fairrre quel jour on est?

— Vous savez que vous n'êtes pas obligé de porter ça, lui glisse Catalpa à l'oreille.

— Elle est étanche, répond-il. Je l'ai garrrdée sous la douche ce matin.

— Non, mais... c'est un système de surveillance, insiste Catalpa. Big Brother vous surveille par GPS.

— Il y a une petite camérrra? demande-t-il en examinant le cadran.

— Je ne veux pas dire que vous êtes *vraiment* surveillé, juste...

— Si vous étiez parti toute la journée, Ian, nous pourrions consulter un site Web pour voir où vous êtes, c'est tout, explique Papadum.

— Ça ne vous dérange pas de les voir enfreindre vos droits? reprend Catalpa.

— Tu verras que le monde est plein de choses bien plus dérrrangeantes qu'une montrrre gratuite, jeune fille.

— Mon ami Liam a une puce GPS dans son sac à dos, dit Aubépine, et ses parents ont paniqué quand il est allé dormir chez un copain et a oublié son sac à dos dans l'autobus. Il a fait le tour de la ville plusieurs fois...

Bruno désigne du doigt le mot SOS sur la montre de Gripette.

— Quoi ça? demande-t-elle.

— C'est mon bouton spécial pour les cas d'urrrgence, explique Gripette en le pressant très fort.

— *Ni na, ni na,* chantonne Bruno.

Une seconde plus tard, la voix de Papaye — très faible et lointaine — se fait entendre dans la montre.

— Rebonjour, papa.

— C'est toi, Rrréginald? dit Gripette en approchant son poignet de ses lèvres.

— D'après toi, qui d'autre t'appellerait papa?

Il hoche la tête.

— Où es-tu en ce moment?

— Je trie des chaussettes dans le sous-sol. Tu as besoin d'autre chose?

— Je ne rrrefuserais pas une tasse de thé.

Un couinement — c'est Papaye qui pouffe de rire.

Quand Isabella se présente, Sumac l'entraîne au grenier.

— Prête? demande-t-elle. Imagine un palais de glace.

Elle ouvre à la volée la porte sur laquelle elle a finalement accroché son écriteau « Chambre de Sumac ».

— Oh!

— Papaye a trimé pendant deux jours, et c'est pourquoi ça sent encore.

— J'adore l'odeur de la peinture, affirme Isabella en reniflant. *Tellement* chic, deux murs blancs et deux argentés, et des guirlandes lumineuses partout.

— Ce sont des glaçons, tu vois? dit Sumac en lui montrant leurs extrémités.

— Super! Et les rideaux en flocons de neige, s'écrie Isabella. Cette chambre est bien plus adulte que ton ancienne.

Sumac jette un regard circulaire. Elle ne fera ou ne planifiera jamais rien de puéril ou d'idiot dans cette pièce.

— Oh! Regarde, dit Isabella, le visage contre la fenêtre. Sapin a un arc géant, comme Robin des Bois.

— Ne lui demande pas de te raconter comment il l'a fabriqué avec du bois d'if, lui conseille Sumac.

La sonnette d'entrée retentit au rez-de-chaussée. Quelques secondes plus tard, Mamenthe crie :

— Que quelqu'un aille répondre!

Sumac se hâte de descendre ouvrir la porte. En traversant la galerie, elle remarque une citation que Papadum a écrite en majuscules bien nettes sur un miroir :

QUAND TU AS FINI DE CHANGER, TU ES FINI.

Au-dessous, quelqu'un a ajouté d'une écriture à peine lisible :

Tous les cochons sont nourris et prêts à s'envoler.

C'est mamie (la mère de Mamandine) à la porte. Elle a traversé la ville avec deux plateaux de boules de tamarin (on dirait des beignets, mais ce sont des pâtes de fruits) et un sac de « jouets complètement *non* éducatifs, hé, hé, hé » selon Aubépine. Cette dernière enfourne une boule au tamarin et s'étouffe parce qu'elle contient du piment.

Dada Ji (il vient d'avoir quatre-vingt-dix ans, mais il est toujours le même avec son turban noir) et Dadi Ji arrivent ensuite avec une boîte de jalebis jaune orangé et une autre de barfis (des losanges en pâte de noix de cajou), que Sumac aime bien. Ils sont décorés avec du vark, une très mince couche d'argent véritable. On pourrait croire qu'on va s'empoisonner, mais apparemment, non.

Les gens commencent à affluer sur la pelouse broussailleuse derrière la Cameloterie. Mme Zhao et son mari silencieux et souriant arrivent avec une énorme marmite de soupe aux pattes de poulet, ce qui enchante mamie parce qu'elle en a mangé pendant toute son enfance en Jamaïque.

Bruno roule à toute allure dans son Spitfire dont les ailes heurtent le popotin de plusieurs invités. Aubépine est là avec Ardoise. Elle présente les tours qu'elle lui a enseignés. Opale ne cesse de criailler « Meuh! » Aucun signe des chattes : cette foule, c'est trop, même pour Topaze.

— J'ai entendu Mme Zhao dire à Mamandine que Sic travaille fort et qu'il ira loin, rapporte Sapin.

— Non! proteste Catalpa. Ne le lui dis pas. Sa tête va exploser si elle enfle encore.

Quinn la regarde comme si elle était la fille la plus brillante du monde. La plus magnifique aussi.

— Gripette se montre-t-il poli avec les invités? demande Sumac.

— Je l'ai entendu plaisanter avec Jagroop : il lui disait qu'il n'avait jamais pensé avoir un jour des petits-enfants et voilà qu'ils poussent comme de la mauvaise herbe, répond Sapin. Mais, hé! Les mauvaises herbes sont juste des fleurs qui poussent facilement.

Sumac aperçoit Gripette en grande conversation avec mamie, maintenant. Elle va subrepticement s'assurer qu'il ne la traite pas de personne *nègre* ni d'autre chose.

— Expédié à Rothesay, c'est sur une île, avec rien d'autrrre qu'une brosse à dents et un caleçon prrroprrre, raconte-t-il. Exaspérrré… je veux dire…

Mamie penche la tête d'un côté.

— Vous vous sentiez… exaspéré?

Il secoue la tête

— Éjecté? Non, ça, c'est James Bond dans son siège éjectable.

Mais de quoi parle-t-il?

— On était des milliers, on avait peur de, vous savez…

Il mime ce que Sumac interprète comme étant des tomates qui tombent et éclatent en morceaux.

— Un masque, une étiquette avec mon nom… Exilé, c'est ça?

Les parents de Papadum s'immiscent alors dans la conversation.

— Je dois avouer que moi aussi je me sentais passablement exilé quand nous sommes arrivés au Canada en 1965, dit Dada Ji.

Mamie approuve d'un signe de tête.

— J'ai dû courir acheter des habits de neige aux enfants.

— Non, le Canada, ça été plus tarrrd, rectifie Gripette. Je parle de l'époque où j'avais neuf ans, j'ai été canulé…

Il émet un petit cri de frustration.

— J'ai sur le mot sur le bout de la langue. Aspirrré?

Sumac pense encore aux tomates qui explosent. Un masque, mais quel genre de masque?

— Pendant la guerre? devine-t-elle.

— Évidemment, dit Gripette en se tournant vers elle. Autrrrement on n'aurrrait pas été en danger d'être rrréduits en miettes!

Inutile de s'attendre à ce que cet homme manifeste de la reconnaissance quand on finit par comprendre ce qu'il veut dire.

— Ah oui, le blitz, c'est très bien, ma chérie, tu connais ton histoire, la félicite Dada Ji en hochant la tête. Vous avez donc été évacué, Ian?

— Évacué, c'est ça! rugit Gripette, si fort que Mme Zhao, à l'autre bout de la brousse, lui lance un regard désapprobateur.

Sumac a déjà entendu parler du blitz, à Londres, mais elle ignorait que c'était aussi arrivé à Glasgow. À bien y penser, toute l'île de Grande-Bretagne n'est pas très grande, et un Spitfire, ou le genre d'avion que les nazis avaient, ne devait pas voler très loin. Gripette l'a donc vécu à deux reprises : il a été transporté de sa vraie vie à une autre complètement nouvelle, sans qu'on lui demande son avis. *Sommes-nous son blitz?* se demande-t-elle. *Sinon, c'est la démence qui l'est et nous sommes l'île où il a été évacué.*

Elle le voit parler maintenant à M. Zhao et caresser la tête de Diamant.

— Il bouge mieux sur trrrois pattes que la plupart des chiens sur quatrrre, affirme-t-il.

Papadum fait sonner une cloche spéciale annonçant le début de la cérémonie du Rakhi.

Sic lit à voix haute des extraits d'un livre de légendes indiennes : le jour où Shachi a noué un fil autour du poignet de son mari Indra pour accroître les *pouvoirs de son esprit* et l'aider à vaincre les démons. L'histoire ressemble un peu à une bande dessinée Marvel, mais c'est probablement à cause de la façon dont Sic la raconte.

— Je pensais qu'on fêtait les frères, pas les maris, marmonne Aubépine dans l'oreille de Sumac.

Celle-ci hausse les épaules; elle observe Gripette et se demande si, à son âge, quelque chose pourrait accroître les pouvoirs de son esprit. En pensant à ses propres démons (la mesquinerie, la désobligeance), Sumac leur ordonne : *Allez-vous-en!*

Chêne trouve rigolo de faire attacher ses cordons de Rakhi; il ne cesse de cacher son poignet grassouillet derrière son dos et toutes les femmes et les filles mettent plus du temps à les nouer. Le processus est ralenti parce qu'Aubépine attache les siens en chatouillant férocement les garçons et les hommes de la famille.

Que tous soient heureux, récite Dada Ji.

Que tous soient libérés du mal,

Que tous n'admirent que le bien,

Que nul ne soit en détresse.

C'est là que Papaye se met à pleurer.

Gripette détourne la tête, l'air mortifié.

— Toi, pas besoin de faire pipi maintenant, dit Bruno à Papaye.

— Tant mieux, chuchote ce dernier avant de se moucher.

— Et maintenant, priez pour le bien-être et le bonheur de vos frères, dit Dada Ji aux femmes et aux filles. *Puissiez-vous être bien et heureux...*

— *Puissiez-vous être bien et heureux*, déclament-elles en chœur.

Sapin et Aubépine échangent d'affreuses grimaces d'un côté à l'autre de la pelouse.

— À présent, vous, les hommes, vous faites ce serment. *Je jure de protéger mes sœurs...*

— *Je jure de protéger mes sœurs*, psalmodient-ils.

— Protéger? N'est-ce pas un peu condescendant? s'insurge Catalpa.

Mamenthe pose une main sur sa bouche enduite de rouge à lèvres noir.

— *Et de les aider à franchir tous les obstacles…*

— *Et de les aider à franchir tous les obstacles…*

— Ouais, à coups de pied, crie Catalpa.

Aubépine éclate de rire et s'élance pour en donner un; ce faisant, elle frappe accidentellement Dadi Ji à l'estomac.

À la dernière minute, il y a un accrochage quand Bruno insiste pour être un frère et se faire nouer des fils aux poignets. Mais elle veut aussi en attacher à Chêne parce que «moi, une sœur *et* un frère». Aubépine se rappelle alors qu'Ardoise et Opale ont probablement des frères et des sœurs de leur portée et qu'ils doivent s'ennuyer d'eux; n'empêche qu'attacher des bracelets à un rat et à un perroquet ne sera pas une tâche facile, loin de là. Sumac a heureusement d'autres Rakhis dans sa poche, et elle les offre à tous ceux qui en veulent. Quelle importance? Il faut seulement qu'ils soient attachés.

LA PAGE DES REMERCIEMENTS

Les auteurs passent leur temps à voler des idées. Mais comme la petite famille de la série romanesque *Les chapardeurs*, de Mary Norton, nous préférons dire que nous les empruntons. Je remercie donc les gens, jeunes et vieux, à qui j'ai emprunté la plupart de mes idées :

Debra Westgate, pour les renseignements professionnels qu'elle m'a offerts sur les jeunes dans toute leur merveilleuse bizarrerie, et Gráinne Ní Dhúill, Aoife et Fionnuala Westgate pour les courses d'escargots; Astra Vainio-Mattila (extraordinaire lectrice et membre de mon tout premier groupe de discussion); Helen, Asa et Sophie Thomas, et Julian Patrick pour les contes du camp Wanapitei; Tamara Sugunasiri qui m'a demandé un livre comme celui-ci (je l'ai planifié pendant l'un de ses succulents soupers); Derek Scott pour le *pied piping*; Maya Scott (membre du groupe de discussion) qui, à trois ans, a appris à lire toute seule et s'est rasé la tête; Laurent Ruffo-Caracchini, qui a rendu sympathique la grande intelligence des adolescents; Tracey (« *Trace the Ace* ») Rapos pour son encre; ma nièce et filleule Dearbhaile

Ní Dhubhghaill pour sa passion pour les animaux et la langue elfique; notre famille montréalaise (Jeff, Declan et Loïc Miles, et plus particulièrement Hélène Roulston pour son calme olympien); Holly Harkins-Manning et Richard, Owen, Silas, Duncan, Malcolm, Seamus Finnegan (membre du groupe de discussion) et Charlotte Manning, grâce à qui tout a eu l'air plus joyeux; Alison Lee et Sarah Redekop, surtout pour avoir, dans le train vers Menton, réfléchi aux noms d'arbres à donner aux Loteau; l'écrivaine Amanda Jennings pour avoir mis le nom de sa filleule Seren Johnson dans ce livre en tant que collecte de fonds pour CLIC Sargent (la première association caritative du Royaume-Uni pour les jeunes atteints du cancer); Sidney et Madeleine Gervais et toute ma reconnaissance à Kelly Gervais pour m'avoir accompagnée à Parkdale à la recherche de la Cameloterie; Ali Dover pour son hilarité qui a sauvé ma santé mentale et pour ses dépêches des rives sauvages du parentage et du charme; Zelda Dover pour ses moues inimitables; ma belle-sœur Bernie Donoghue pour son infinie patience; Ashlin Core (membre du groupe de discussion) pour les chaussettes dépareillées; Kate Ceberano (pour le « imagique » de sa fille); Vivien Carrady et Sheldon, Desana, Seth et Alex Rose pour les poiriers spontanés et la grâce dans le feu de l'action; les Bélanger-Ferré (Danièle, Stéphane, Loup-Yann, Guillaume et Tristan), ainsi que Samantha et Mallory Brennan, Jeff, Gavin et Miles Fullerton pour avoir montré comment leurs familles peuvent chérir les talents de chacun d'entre eux; Bipasha Baruah, Paul Perret et Ahaan Perret Baruah pour avoir suivi leur voie, Eric Gansworth, Roberta Duhaime et Olugbemisola Rhuday-Perkovich pour avoir lu le manuscrit et m'avoir fait bénéficier de leurs bons conseils, et Caroline Hadilaksono pour ses magnifiques illustrations.

Je remercie particulièrement mes parents Frances et Denis Donoghue (qui auraient préféré avoir deux enfants plutôt que huit, mais qui nous ont tous aimés inlassablement), et mes bien-aimés Chris, Una et Finn Roulston (membre du groupe de discussion) pour leurs rires et pour être une source d'inspiration quotidienne.

À PROPOS DE L'AUTEURE

Benjamine de huit enfants, Emma Donoghue a grandi en Irlande dans une famille qui n'a rien à voir avec les Loteau, sauf que tout le monde parlait beaucoup. Elle vit maintenant au Canada avec sa conjointe, un fils et une fille. Sur le tapis roulant de son bureau, elle écrit des romans, des nouvelles, des contes de fées, des pièces de théâtre et des scénarios de films (elle a adapté *Room*, qui traite d'un petit garçon qui n'est jamais allé dehors, à partir de son roman). *Les Loteau plus un* est sa première œuvre de littérature jeunesse, et elle travaille maintenant à l'écriture d'un deuxième tome.

La conception graphique de ce livre a été réalisée par Elizabeth B. Parisi, Abby Denning et Caroline Hadilaksono. Le texte a été composé avec la police de caractères Adobe Caslon Pro, une police conçue par Carol Twombly en s'inspirant de pages imprimées par William Caslon et des lettres tracées à la main par Caroline Hadilaksono. Le titre a été composé avec la police de caractères Jande Safe et Sound, Beloved Sans.